Patrick Süskind

Drei Geschichten

und eine
Betrachtung

Diogenes

Nachweis am Schluß des Bandes
Umschlagzeichnung
von Roland Topor

Kleine Diogenes Taschenbücher 70008

Inhalt

Drei Geschichten…

Der Zwang zur Tiefe

Eine junge Frau aus Stuttgart, die schön zeichnete, bekam bei ihrer ersten Ausstellung von einem Kritiker, der nichts Böses meinte und sie fördern wollte, gesagt: »Es ist begabt und ansprechend, was Sie machen, aber Sie haben noch zu wenig Tiefe.«

Die junge Frau verstand nicht, was der Kritiker meinte, und hatte seine Bemerkung bald vergessen. Aber am übernächsten Tag stand in der Zeitung eine Besprechung desselben Kritikers, in der es hieß: »Die junge Künstlerin besitzt viel Talent, und ihre Arbeiten finden auf den ersten Blick großes Gefallen; leider allerdings mangelt es ihnen an Tiefe.«

Da begann die junge Frau nachzudenken. Sie schaute ihre Zeichnungen an und kramte in alten Mappen. Sie schaute alle ihre Zeichnungen an und auch die, die sie gerade in Arbeit hatte. Dann schraubte sie die Tuschegläser zu, wischte die Federn ab und ging spazieren.

Am selben Abend war sie eingeladen. Die Leute schienen die Kritik auswendig gelernt zu haben und sprachen immer wieder von dem vielen Talent und dem großen Gefallen, das die Bilder schon auf den ersten Blick erweckten. Aber aus dem Gemurmel des Hintergrunds und von jenen, die mit dem Rücken zu ihr standen, konnte die junge Frau, wenn sie genau hinhörte, vernehmen: »Tiefe hat sie keine. Das ist es. Sie ist nicht schlecht, aber leider hat sie keine Tiefe.«

In der ganzen folgenden Woche zeichnete die junge Frau nichts. Sie saß stumm in ihrer Wohnung, brütete vor sich hin und hatte immer nur einen einzigen Gedanken im Kopf, der alle übrigen Gedanken wie ein Tiefseekrake umklammerte und verschlang: »Warum habe ich keine Tiefe?«

In der zweiten Woche versuchte die Frau wieder zu zeichnen, aber über ungeschickte Entwürfe kam sie nicht hinaus. Manchmal gelang ihr nicht einmal ein Strich. Zuletzt zitterte sie so sehr, daß sie die Feder nicht mehr in das Tuscheglas tauchen konnte. Da begann sie zu weinen und rief: »Ja, es stimmt, ich habe keine Tiefe!«

In der dritten Woche fing sie an, Kunstbände zu betrachten, die Werke andrer Zeichner zu studieren, Galerien und Museen zu durchwandern. Sie las kunsttheoretische Bücher. Sie ging in eine Buchhandlung und verlangte vom Verkäufer das tiefste Buch, das er auf Lager habe. Sie erhielt ein Werk von einem gewissen Wittgenstein und konnte nichts damit anfangen.

Bei einer Ausstellung im Stadtmuseum »500 Jahre europäische Zeichnung« schloß sie sich einer Schulklasse an, die von ihrem Kunsterzieher geführt wurde. Plötzlich, bei einem Blatte Leonardo da Vincis, trat sie vor und fragte: »Verzeihen Sie – können Sie mir sagen, ob diese Zeichnung Tiefe besitzt?« Der Kunsterzieher grinste sie an und sagte: »Wenn Sie sich über mich lustig machen wollen, dann müssen Sie früher aufstehen, gnädige Frau!«, und die Klasse lachte herzlich. Die junge Frau aber ging nach Hause und weinte bitterlich.

Die junge Frau wurde nun immer sonderbarer. Sie verließ kaum noch ihr Arbeitszimmer und konnte doch nicht arbeiten. Sie nahm Tabletten, um wach zu bleiben, und wußte nicht, wozu sie wach bleiben sollte. Und wenn sie müde wurde, dann schlief sie in ihrem Stuhl, denn sie fürchtete sich, ins Bett zu gehen, aus Angst vor der Tiefe des Schlafes. Sie begann auch zu trinken und ließ die ganze Nacht das Licht brennen. Sie zeichnete nicht mehr. Als ein Kunsthändler aus Berlin anrief und um einige Blätter bat, schrie sie ins Telefon: »Lassen Sie mich zufrieden! Ich habe keine

Tiefe!« Gelegentlich knetete sie Plastilin, aber nichts Bestimmtes. Sie vergrub
nur ihre Fingerkuppen darin oder
formte kleine Knödel. Äußerlich ver-
wahrloste sie. Sie achtete nicht mehr auf
ihre Kleidung und ließ die Wohnung
verkommen.

Ihre Freunde sorgten sich. Sie sagten:
»Man muß sich um sie kümmern, sie
steckt in einer Krise. Entweder ist die
Krise menschlicher Art, oder sie ist
künstlerischer Art; oder die Krise ist
finanziell. Im ersten Fall kann man
nichts machen, im zweiten Fall muß sie
da durch, und im dritten Fall könnten
wir eine Sammlung für sie veranstalten,
aber das wäre ihr womöglich peinlich.«
So beschränkte man sich darauf, sie ein-
zuladen, zum Essen oder auf Partys. Sie
sagte immer ab mit der Begründung, sie

müsse arbeiten. Sie arbeitete aber nie, sondern saß nur in ihrem Zimmer, schaute vor sich hin und knetete Plastilin.

Einmal war sie so verzweifelt mit sich selbst, daß sie doch eine Einladung annahm. Ein junger Mann, dem sie gefiel, wollte sie danach nach Hause bringen, um mit ihr zu schlafen. Sie sagte, das könne er gerne tun, denn auch er gefalle ihr; allerdings müsse er sich darauf gefaßt machen, daß sie keine Tiefe besitze. Der junge Mann nahm daraufhin Abstand.

Die junge Frau, die einst so schön gezeichnet hatte, verfiel nun zusehends. Sie ging nicht mehr aus, sie empfing nicht mehr, durch den Bewegungsmangel wurde sie dick, durch den Alkohol und die Tabletten alterte sie überschnell. Ihre Wohnung fing zu modern an, sie selbst roch sauer.

Sie hatte 30 000 Mark geerbt. Davon lebte sie drei Jahre lang. Einmal in dieser Zeit machte sie eine Reise nach Neapel, kein Mensch weiß, unter welchen Umständen. Wer sie ansprach, bekam nur ein unverständliches Gebrabbel zur Antwort.

Als das Geld verbraucht war, zerschnitt und durchlöcherte die Frau alle ihre Zeichnungen, fuhr auf den Fernsehturm und sprang 139 Meter weit in die Tiefe. Weil an diesem Tag aber ein starker Wind wehte, zerschellte sie nicht auf dem geteerten Platz unter dem Turm, sondern wurde über ein ganzes Haferfeld hinweg bis zum Waldrand getragen, wo sie in den Tannen niederging. Sie war trotzdem sofort tot.

Den Fall griff die Boulevardpresse dankbar auf. Der Selbstmord an und für sich, die interessante Flugbahn, die Tatsache, daß es sich um eine einst verheißungsvolle Künstlerin handelte, die obendrein noch hübsch gewesen war, hatten einen hohen Informationswert. Der Zustand ihrer Wohnung erschien so katastrophal, daß man pittoreske Fotos davon machen konnte: Tausende von geleerten Flaschen, Zeichen der Zerstörung überall, zerfetzte Bilder, an den Wänden Plastilinklumpen, ja sogar Exkremente in den Zimmerecken! Man riskierte einen zweiten Aufmacher und noch einen Bericht auf Seite drei.

Im Feuilleton schrieb der eingangs erwähnte Kritiker eine Notiz, in der er seine Betroffenheit darüber zum Ausdruck brachte, daß die junge Frau so scheußlich hatte enden müssen. »Immer wieder«, schrieb er, »ist es für uns Zurückbleibende ein erschütterndes Ereignis, mit ansehen zu müssen, daß ein junger talentierter Mensch nicht die Kraft findet, sich in der Szene zu behaupten. Mit staatlicher Förderung und privater Initiative allein ist es da nicht getan, wo es vorrangig um Zugewandtheit im menschlichen Bereich und um ein verständiges Begleiten im künstlerischen Sektor ginge. Allerdings scheint zuletzt doch im Individuellen der Keim zu jenem tragischen Ende angelegt. Denn spricht nicht schon aus ihren ersten, noch scheinbar naiven Arbeiten jene erschreckende Zerrissenheit, ablesbar schon an der eigenwilligen, der Botschaft dienlichen Mischtechnik, jene hineinverdrehte, spiralenförmig sich verbohrende und zugleich hoch emotionsbeladene, offensichtlich vergebliche, Auflehnung der Kreatur gegen das eigene Selbst? Jener verhängnisvolle, fast möchte ich sagen: gnadenlose Zwang zur Tiefe?«

Ein Kampf

An einem frühen Abend im August, als die meisten Menschen den Park bereits verlassen hatten, saßen sich im Pavillon an der Nordwestecke des Jardin du Luxembourg noch zwei Männer am Schachbrett gegenüber, deren Partie von einem guten Dutzend Zuschauer mit so gespannter Aufmerksamkeit verfolgt wurde, daß, obwohl die Stunde des Aperitifs schon näher rückte, niemand auf den Gedanken gekommen wäre, die Szene zu verlassen, ehe der Kampf sich nicht entschieden hätte.

Das Interesse der kleinen Menge galt dem Herausforderer, einem jüngeren

Mann mit schwarzen Haaren, bleichem Gesicht und blasierten dunklen Augen. Er sprach kein Wort, bewegte keine Miene, ließ nur von Zeit zu Zeit eine unangezündete Zigarette zwischen den Fingern hin und her rollen und war überhaupt die Nonchalance in Person. Niemand kannte diesen Mann, keiner hatte ihn bisher je spielen sehen. Und doch war vom ersten Augenblick an, da er sich nur bleich, blasiert und stumm ans Brett gesetzt hatte, um die Figuren aufzustellen, eine so starke Wirkung von ihm ausgegangen, daß jeden, der ihn sah, die unabweisbare Gewißheit überkam, man habe es hier mit einer ganz außergewöhnlichen Persönlichkeit von großer und genialer Begabung zu tun. Vielleicht war es nur die attraktive und zugleich unnahbare Erscheinung des jungen Mannes, seine elegante Kleidung, seine körperliche Wohlgestalt; vielleicht waren es die Ruhe und Sicherheit, die in seinen Gesten lagen; vielleicht die Aura von Fremdheit und Besonderheit, die ihn umgab – jedenfalls sah sich das Publikum, ehe noch der erste Bauer gezogen war, schon fest davon überzeugt, daß dieser Mann ein Schachspieler ersten Ranges sei, der ein von allen insgeheim ersehntes Wunder vollbringen würde, welches darin bestand, den lokalen Schachmatador zu schlagen.

Dieser, ein ziemlich scheußliches Männlein von etwa siebzig Jahren, war in jeder Hinsicht das genaue Gegenteil seines jugendlichen Herausforderers. Er trug die blauhosige und wollwestige, speisefleckige Kluft des französischen

Rentners, hatte Altersflecken auf den zitternden Händen, schütteres Haar, eine weinrote Nase und violette Adern im Gesicht. Er entbehrte jeglicher Aura und war außerdem unrasiert. Nervös paffte er an seinem Zigarettenstummel, wetzte unruhig auf dem Gartenstuhl hin und her und wackelte ohne Unterlaß bedenklich mit dem Kopf. Die Umstehenden kannten ihn bestens. Alle hatten sie schon gegen ihn gespielt und immer gegen ihn verloren, denn obwohl er alles andere als ein genialer Schachspieler war, hatte er doch die seine Gegner zermürbende, sie aufbringende und geradezu hassenswerte Eigenschaft, keine Fehler zu machen. Man konnte sich bei ihm nicht darauf verlassen, daß er einem durch die kleinste Unaufmerksamkeit entgegenkam. Es mußte einer, um ihn zu besiegen, tatsächlich besser spielen als er. Dies aber, so ahnte man, würde noch heute geschehen: Ein neuer Meister war gekommen, den alten Matador aufs Kreuz zu legen – ach was! –, ihn niederzumachen, niederzumetzeln Zug um Zug, ihn in den Staub zu treten und ihn die Bitterkeit einer Niederlage endlich kosten zu lassen. Das würde manche eigne Niederlage rächen!

»Sieh dich vor, Jean!« riefen sie noch während der Eröffnungszüge, »diesmal geht's dir an den Kragen! Gegen den kommst du nicht auf, Jean! Waterloo, Jean! Paß auf, heute gibt's ein Waterloo!«

»Eh bien, eh bien…«, entgegnete der Alte, wackelte mit dem Kopf und bewegte mit zögernder Hand seinen weißen Bauern nach vorn.

Sobald der Fremde, der die schwarzen Figuren hatte, am Zug war, wurde es still in der Runde. An ihn hätte niemand das Wort zu richten gewagt. Man beobachtete ihn mit scheuer Aufmerksamkeit, wie er stumm am Brett saß, seinen überlegenen Blick nicht von den Figuren nahm, wie er die unangezündete Zigarette zwischen den Fingern rollte und mit raschen sicheren Zügen spielte, wenn die Reihe an ihm war.

Die ersten Züge des Spiels verliefen in der üblichen Weise. Dann kam es zweimal zum Abtausch von Bauern, dessen zweiter damit endete, daß Schwarz auf einer Linie einen Doppelbauern zurückbehielt, was im allgemeinen nicht als günstig gilt. Der Fremde hatte jedoch den Doppelbauern gewiß mit vollem Bewußtsein in Kauf genommen, um in der Folge seiner Dame freie Bahn zu schaffen. Diesem Ziel diente offenbar auch ein sich anschließendes Bauernopfer, eine Art verspätetes Gambit, das Weiß nur zögernd, beinahe ängstlich annahm. Die Zuschauer warfen sich bedeutende Blicke zu, nickten bedenklich, schauten gespannt auf den Fremden.

Der unterbricht für einen Moment sein Zigarettenrollen, hebt die Hand, greift nach vorn – und in der Tat: er zieht die Dame! Zieht sie weit hinaus, weit in die Reihen des Gegners hinein, spaltet gleichsam mit seiner Damefahrt das Schlachtfeld in zwei Hälften. Ein anerkennendes Räuspern geht durch die Reihen. Was für ein Zug! Welch ein Elan! Ja, daß er die Dame ziehen würde, man ahnte es – aber gleich so weit! Keiner der Umstehenden – und es waren durchweg schachverständige Leute – hätte einen solchen Zug gewagt. Aber das machte eben den wahren Meister aus. Ein wahrer Meister spielte originell, riskant, entschlossen – eben einfach anders als ein Durchschnittsspieler. Und deshalb brauchte man als Durchschnittsspieler auch nicht jeden einzelnen Zug des Meisters zu verstehen, denn… in der Tat verstand man nicht recht, was die Dame dort sollte, wo sie sich befand. Sie bedrohte nichts Vitales, griff nur Figuren an, die ihrerseits gedeckt waren. Aber der Zweck und tiefere Sinn des Zuges würde sich bald enthüllen, der Meister hatte seinen Plan, das war gewiß, man erkannte es an seiner unbeweglichen Miene, an seiner sicheren, ruhigen Hand. Spätestens nach diesem unkonventionellen Damezug war auch dem letzten Zuschauer klar, daß hier ein Genie am Schachbrett saß, wie man es so bald nicht wiedersehen würde. Jean, dem alten Matador, galt bloß noch hämische Anteilnahme. Was hatte er solch urkräftiger Verve schon entgegenzusetzen? Man kannte ihn doch! Mit Klein-Klein-Spiel würde er wahrscheinlich versuchen, sich aus der Affäre zu ziehen, mit vorsichtig hinhaltendem Klein-Klein-Spiel. ...Und nach längerem Zögern und Wägen schlägt Jean, anstatt auf den großräumigen Damezug eine entsprechend großräumige Antwort zu geben, ein kleines Bäuerlein auf H4, das durch das Vorrücken der schwarzen Dame seiner Deckung entblößt war.

Dem jungen Mann gilt dieser abermalige Bauernverlust für nichts. Er überlegt keine Sekunde lang – dann fährt seine Dame nach rechts, greift ins Herz der gegnerischen Schlachtordnung, landet auf einem Feld, von wo sie zwei Offiziere – ein Pferd und einen Turm – gleichzeitig angreift und darüber hinaus in bedrohliche Nähe der Königslinie vorstößt. In den Augen der Zuschauer glänzt die Bewunderung. Was für ein Teufelskerl, dieser Schwarze! Welche Courage! »Ein Professioneller«, murmelt es, »ein Großmeister, ein Sarasate des Schachspiels!« Und ungeduldig wartet man auf Jeans Gegenzug, ungeduldig vor allem, um den nächsten Streich des Schwarzen zu erleben.

Und Jean zögert. Denkt, martert sich, wetzt auf dem Stuhl hin und her, zuckt mit dem Kopf, es ist eine Qual, ihm zu-

zusehen – zieh endlich, Jean, zieh und verzögere nicht den unausweichlichen Gang der Ereignisse!

Und Jean zieht. Endlich. Mit zitternder Hand setzt er das Pferd auf ein Feld, wo es nicht nur dem Angriff der Dame entzogen ist, sondern sie seinerseits angreift und den Turm deckt. Nunja. Kein schlechter Zug. Was blieb ihm auch anderes übrig in dieser bedrängten Lage als dieser Zug? Wir alle, die wir hier stehen, wir hätten auch so gespielt. – »Aber es wird ihm nichts helfen!« raunt es, »damit hat der Schwarze gerechnet!«

Denn schon fährt dessen Hand wie ein Habicht über das Feld, greift die Dame und zieht... – nein! zieht sie nicht zurück, ängstlich, wie wir es getan hätten, sondern setzt sie nur ein einziges Feld weiter nach rechts! Unglaublich!

Man ist starr vor Bewunderung. Niemand begreift wirklich, wozu der Zug nützt, denn die Dame steht jetzt am Rande des Feldes, bedroht nichts und deckt nichts, steht vollkommen sinnlos – doch steht sie schön, irrwitzig schön, so schön stand nie eine Dame, einsam und stolz inmitten der Reihen des Gegners… Auch Jean begreift nicht, was sein unheimliches Gegenüber mit diesem Zug bezweckt, in welche Falle es ihn locken will, und erst nach langem Überlegen und mit schlechtem Gewissen entschließt er sich, abermals einen ungedeckten Bauern zu schlagen. Er steht jetzt, so zählen die Zuschauer, um drei Bauern besser da als der Schwarze. Aber was sagt das schon! Was hilft dieser numerische Vorteil bei einem Gegner, der offenbar strategisch denkt, dem es nicht auf Figuren, sondern auf Stellung ankommt, auf Entwicklung, auf das urplötzliche, blitzschnelle Zuschlagen? Hüte dich, Jean! Du wirst noch nach Bauern jagen, wenn im Folgezug dein König fällt!

Schwarz ist am Zug. Ruhig sitzt der Fremde da und rollt die Zigarette zwischen den Fingern. Er überlegt jetzt etwas länger als sonst, vielleicht eine, vielleicht zwei Minuten. Es ist vollkommen still. Keiner der Umstehenden wagt es zu flüstern, kaum einer schaut noch aufs Schachbrett, alles starrt gespannt auf den jungen Mann, auf seine Hände und auf sein bleiches Gesicht. Sitzt da nicht schon ein winziges triumphierendes Lächeln in den Winkeln seiner Lippen? Erkennt man nicht ein ganz kleines Schwellen der Nasenflügel, wie es den großen Entschlüssen vorangeht? Was wird der nächste Zug sein? Zu welchem vernichtenden Schlag holt der Meister aus?

Da hört die Zigarette zu rollen auf, der Fremde beugt sich vor, ein Dutzend Augenpaare folgen seiner Hand – was wird sein Zug sein, was wird sein Zug sein?… und nimmt den Bauern von G7 – wer hätte das gedacht! Den Bauern von G7! – den Bauern von G7 auf… G6!

Es folgt eine Sekunde absoluter Stille. Selbst der alte Jean hört für einen Moment zu zittern und zu wetzen auf. Und dann fehlt wenig, daß unter dem Publikum Jubel ausbricht! Man bläst den angehaltenen Atem aus, man stößt dem Nachbarn mit dem Ellbogen in die Seite, habt ihr das gesehen? Was für ein ausgebuffter Bursche! Ça alors! Läßt die Dame Dame sein und zieht einfach diesen Bauern auf G6! Das macht natürlich G7 frei für seinen Läufer, soviel steht fest, und im übernächsten Zug bietet er Schach, und dann... Und dann?... Dann? Nunja – dann... dann ist Jean auf jeden Fall in kürzester Zeit erledigt, soviel steht fest. Seht doch nur, wie angestrengt er schon nachdenkt!

Und in der Tat, Jean denkt. Ewig lange denkt er. Es ist zum Verzweifeln mit dem Mann! Manchmal zuckt seine Hand schon vor – und zieht sich wieder zurück. Nun komm schon! Zieh endlich, Jean! Wir wollen den Meister sehen!

Und endlich, nach fünf langen Minuten, man scharrt schon mit den Füßen, wagt es Jean zu ziehen. Er greift die

Dame an. Mit einem Bauern greift er die schwarze Dame an. Will mit diesem hinhaltenden Zug seinem Schicksal entgehen. Wie kindisch! Schwarz braucht seine Dame doch nur um zwei Felder zurückzunehmen, und alles ist beim alten. Du bist am Ende, Jean! Dir fällt nichts mehr ein, du bist am Ende...

Denn Schwarz greift – siehst du, Jean, da braucht er gar nicht lange nachzudenken, jetzt geht es Schlag auf Schlag! – Schwarz greift zur... – und da bleibt allen für einen Moment das Herz stehen, denn Schwarz, wider alle offenbare Vernunft, greift *nicht* zur Dame, um sie dem lächerlichen Angriff des Bauern zu entziehen, sondern Schwarz führt seinen vorgefaßten Plan aus und setzt den Läufer auf G7.

Sie sehen ihn fassungslos an. Sie treten alle einen halben Schritt zurück wie aus Ehrfurcht und sehen ihn fassungslos an: Er opfert seine Dame und stellt den Läufer auf G7! Und er tut es in vollem Bewußtsein und unbeweglichen Gesichts, ruhig und überlegen dasitzend, blaß, blasiert und schön. Da wird ihnen feucht in den Augen und warm ums Herz. Er spielt so, wie sie spielen wollen und nie zu spielen wagen. Sie begreifen nicht, warum er so spielt wie er spielt, und es ist ihnen auch egal, ja sie ahnen womöglich, daß er selbstmörderisch riskant spielt. Aber sie wollen trotzdem so spielen können wie er: großartig, siegesgewiß, napoleonesk. Nicht wie Jean, dessen ängstliches zögerndes Spiel sie begreifen, da sie selber nicht anders spielen als er, nur weniger gut; Jeans Spiel ist vernünftig. Es ist ordentlich und regelgerecht und enervierend fad. Der Schwarze dagegen schafft mit jedem Zug Wunder. Er bietet die eigene Dame zum Opfer, nur um seinen Läufer auf G7 zu stellen, wann hätte man so etwas schon einmal gesehen? Sie stehen zutiefst gerührt vor dieser Tat. Jetzt kann er spielen, was er will, sie werden ihm Zug für Zug folgen bis zum Ende, mag es strahlend oder bitter sein. Er ist jetzt ihr Held, und sie lieben ihn.

Und selbst Jean, der Gegner, der nüchterne Spieler, als er mit bebender Hand den Bauern zum Damenschlag führt, zögert wie aus Scheu vor dem strahlenden Helden und spricht, sich leise entschuldigend, bittend fast, daß man ihn zu dieser Tat nicht zwingen möge: »Wenn Sie sie mir geben, Monsieur… ich muß ja… ich muß…«, und wirft einen flehenden Blick zu seinem Gegner. Der sitzt mit steinerner Miene und antwortet nicht. Und der Alte, zerknirscht, zerschmettert, schlägt.

Einen Augenblick später bietet der schwarze Läufer Schach. Schach dem weißen König! Die Rührung der Zuschauer schlägt um in Begeisterung. Schon ist der Damenverlust vergessen. Wie ein Mann stehen sie hinter dem jungen Herausforderer und seinem Läufer. Schach dem König! So hätten sie auch gespielt! Ganz genau so, und nicht anders! Schach! – Eine kühle Analyse der Stellung würde ihnen freilich sagen, daß Weiß eine Fülle von möglichen Zügen zu seiner Verteidigung hat, aber das interessiert niemand mehr. Sie wollen nicht mehr nüchtern analysieren, sie wollen jetzt nur noch glänzende Taten sehen, geniale Attacken und mächtige Streiche, die den Gegner erledigen. Das Spiel – dieses Spiel – hat für sie nur noch den Sinn und das eine Interesse: den jungen Fremden siegen und den alten Matador am Boden vernichtet zu sehen.

Jean zögert und überlegt. Er weiß, daß keiner mehr einen Sou auf ihn setzen würde. Aber er weiß nicht, warum. Er versteht nicht, daß die andern – doch alle erfahrene Schachspieler – die Stärke und Sicherheit seiner Stellung nicht erkennen. Dazu besitzt er ein Übergewicht von einer Dame und drei Bauern. Wie können sie glauben, daß er verliert? Er kann nicht verlieren! – Oder doch? Täuscht er sich? Läßt seine Aufmerksamkeit nach? Sehen die anderen mehr als er? Er wird unsicher. Vielleicht ist schon die tödliche Falle gestellt, in die er beim nächsten Zug tappen soll. Wo ist die Falle? Er muß sie vermeiden. Er muß sich herauswinden. Er muß auf jeden Fall seine Haut so teuer wie möglich verkaufen...

Und noch bedächtiger, noch zögernder, noch ängstlicher an die Regeln der Kunst sich klammernd, erwägt und berechnet Jean und entschließt sich dann, einen Springer so abzuziehen und zwischen König und Läufer zu stellen, daß nun seinerseits der schwarze Läufer im Schlagbereich der weißen Dame steht.

Die Antwort von Schwarz kommt ohne Verzögerung. Schwarz bricht den gestoppten Angriff nicht ab, sondern führt Verstärkung heran: Sein Pferd deckt den angegriffenen Läufer. Das Publikum jubelt. Und nun geht es Schlag auf Schlag: Weiß holt einen Läufer zu Hilfe, Schwarz wirft einen Turm nach vorn, Weiß bringt sein zweites Pferd, Schwarz seinen zweiten Turm. Beide Seiten massieren ihre Kräfte um das Feld, auf dem der schwarze Läufer steht, das Feld, auf dem der Läufer ohnehin nichts mehr auszurichten hätte, ist zum Zentrum der Schlacht geworden – warum, man weiß es nicht, Schwarz will es so. Und jeder Zug, mit dem Schwarz weiter eskaliert und einen neuen Offizier heranführt, wird jetzt vom Publikum ganz offen und laut bejubelt, jeder Zug, mit dem Weiß sich notgedrungen verteidigt, mit unverhohlenem Murren quittiert. Und dann eröffnet Schwarz, wiederum gegen alle Regeln der Kunst, einen mörderischen Abtauschreigen. Für einen an Kräften unterlegenen Spieler – so sagt es das

41

Lehrbuch – kann ein solch rigoroses Gemetzel schwerlich von Vorteil sein. Doch Schwarz beginnt es trotzdem, und das Publikum jauchzt. Eine solche Schlachterei hat man noch nicht erlebt. Rücksichtslos mäht Schwarz alles nieder, was sich in Schlagweite befindet, achtet die eignen Verluste für nichts, reihenweise sinken die Bauern, sinken unter frenetischem Beifall des kundigen Publikums Pferde, Türme und Läufer...

Nach sieben, acht Zügen und Gegenzügen ist das Schachbrett verödet. Die Bilanz der Schlacht sieht verheerend für Schwarz aus: Es besitzt nur noch drei Figuren, nämlich den König, einen Turm, einen einzigen Bauern. Weiß hingegen hat neben König und Turm seine Dame und vier Bauern aus dem Armageddon gerettet. Für jeden verständigen Betrachter der Szene konnte nun wirklich kein Zweifel mehr darüber herrschen, wer die Partie gewinnen würde. Und in der Tat ... *Zweifel* herrscht nicht. Denn nach wie vor – den noch von kampfeslüsterner Erregung glühenden Gesichtern ist es anzusehen – sind die Zuschauer auch im Angesichte des Desasters davon überzeugt, daß ihr Mann siegen wird! Noch immer würden sie jede Summe auf ihn setzen und die bloße Andeutung einer möglichen Niederlage wütend zurückweisen.

Und auch der junge Mann scheint völlig unbeeindruckt von der katastrophalen Lage. Er ist am Zug. Ruhig nimmt er seinen Turm und rückt ihn um ein Feld nach rechts. Und wieder wird es still in der Runde. Und tatsächlich treten jetzt den erwachsenen Männern die Tränen in die Augen vor Hingebung an dies Genie von einem Spieler. Es ist wie am Ende der Schlacht von Waterloo, als der Kaiser die Leibgarde in das längst verlorene Gefecht schickt: Mit seinem letzten Offizier geht Schwarz erneut zum Angriff über!

Weiß hat nämlich seinen König auf der ersten Linie auf G1 postiert und drei Bauern auf der zweiten Linie vor ihm stehen, so daß der König eingeklemmt und daher tödlich bedroht stünde, gelänge es Schwarz, wie es dies offenbar vorhat, im nächsten Zug mit seinem Turm auf die erste Linie vorzustoßen.

Nun ist diese Möglichkeit, einen Gegner schachmatt zu setzen, wohl die bekannteste und banalste, fast möchte man sagen, die kindischste aller Möglichkeiten im Schachspiel, beruht ihr Erfolg doch allein darauf, daß der Gegner die offenkundige Gefahr nicht erkennt und keine Gegenmaßnahmen einleitet, deren wirksamste darin besteht, die Reihe der Bauern zu öffnen und so dem König Ausweiche zu verschaffen; einen erfahrenen Spieler, ja sogar einen fortgeschrittenen Anfänger mit diesem Taschenspielertrick matt setzen zu wollen ist mehr als frivol. Jedoch das hingerissene Publikum bewundert den Zug des Helden, als sähe es ihn heute zum ersten Mal. Sie schütteln den Kopf vor grenzenlosem Erstaunen. Freilich, sie wissen, daß Weiß jetzt einen kapitalen Fehler machen muß, damit Schwarz zum Erfolg kommt. Aber sie glauben daran. Sie glauben wirklich daran, daß Jean, der Lokalmatador, der sie alle geschlagen hat, der sich nie eine Schwäche erlaubt, daß Jean diesen Anfängerfehler begeht. Und mehr noch: Sie hoffen es. Sie ersehnen es. Sie beten im Innern dafür, inbrünstiglich, daß Jean diesen Fehler begehen möge...

Und Jean überlegt. Wiegt bedenklich den Kopf hin und her, wägt, wie es seine Art ist, die Möglichkeiten gegeneinander ab, zögert noch einmal – und dann wandert seine zitternde, von Altersflecken übersäte Hand nach vorn, ergreift den Bauern auf G2 und setzt ihn auf G3.

Die Turmuhr von Saint-Sulpice schlägt acht. Die andern Schachspieler des Jardin du Luxembourg sind längst zum Aperitif gegangen, der Mühlebrettverleiher hat längst seine Bude geschlossen. Nur in der Mitte des Pavillons steht noch um die zwei Kämpfer die Gruppe der Zuschauer. Sie schauen mit großen Kuhblicken auf das Schachbrett, wo ein kleiner weißer Bauer die Niederlage des schwarzen Königs besiegelt hat. Und sie wollen es noch immer nicht glauben. Sie wenden ihre Kuhblicke von der deprimierenden Szenerie des Spielfelds ab, dem Feldherrn zu, der bleich, blasiert und schön und unbeweglich auf seinem Gartenstuhl sitzt. »Du hast nicht verloren«, spricht es aus ihren Kuhblicken, »du wirst jetzt ein Wunder vollbringen. Du hast diese Lage von Anfang an vorausgesehen, ja herbeigeführt. Du wirst jetzt den Gegner vernichten, wie, das wissen wir nicht, wir wissen ja überhaupt nichts, wir sind ja nur einfache Schachspieler. Aber du, Wundermann, kannst es vollbringen, du wirst es vollbringen. Enttäusche uns nicht! Wir glauben an dich. Vollbringe das Wunder, Wundermann, vollbringe das Wunder und siege!«

Der junge Mann saß da und schwieg. Dann rollte er die Zigarette mit dem Daumen an die Spitze von Zeige- und Mittelfinger und steckte sie sich in den Mund. Zündete sie an, nahm einen Zug, blies den Rauch übers Schachbrett. Glitt mit seiner Hand durch den Rauch, ließ sie einen Moment über dem schwarzen König schweben und stieß ihn dann um.

Es ist eine zutiefst ordinäre und böse Geste, wenn man den König umstößt zum Zeichen der eigenen Niederlage.

Es ist, wie wenn man nachträglich das ganze Spiel zerstört. Und es macht ein häßliches Geräusch, wenn der umgestoßene König gegen das Brett schlägt. Jedem Schachspieler sticht es ins Herz.

Der junge Mann, nachdem er den König verächtlich mit einem Fingerschlag umgestoßen hatte, erhob sich, würdigte weder seinen Gegner noch das Publikum eines Blicks, grüßte nicht und ging davon.

Die Zuschauer standen betreten, beschämt, und blickten ratlos auf das Schachbrett. Nach einer Weile räusperte sich der eine oder andre, scharrte mit dem Fuß, griff zur Zigarette. – Wieviel Uhr ist es? Schon Viertel nach acht? Mein Gott, so spät! Wiedersehn! Salut Jean! und sie murmelten irgendwelche

Entschuldigungen und verdrückten sich rasch.

Der Lokalmatador blieb alleine zurück. Er stellte den umgestoßenen König wieder aufrecht hin und begann, die Figuren in ein Schächtelchen zu sammeln, erst die geschlagenen, dann die auf dem Brett verbliebenen. Während er das tat, ging er, wie es seine Gewohnheit war, die einzelnen Züge und Stellungen der Partie noch einmal in Gedanken durch. Er hatte nicht einen einzigen Fehler gemacht, natürlich nicht. Und dennoch schien ihm, als habe er so schlecht gespielt wie nie in seinem Leben. Nach Lage der Dinge hätte er seinen Gegner schon in der Eröffnungsphase matt setzen müssen. Wer einen so miserablen Zug wie jenes Damengambit zuwege brachte, wies sich als Ignorant des Schachspiels aus. Solche Anfänger pflegte Jean je nach Laune gnädig oder ungnädig, jedenfalls aber zügig und ohne Selbstzweifel abzufertigen. Diesmal aber hatte ihn offenbar die Witterung für die wahre Schwäche seines Gegners verlassen – oder war er einfach feige gewesen? Hatte er sich nicht getraut, mit dem arroganten Scharlatan, wie er es verdiente, kurzen Prozeß zu machen?

Nein, es war schlimmer. Er hatte sich nicht vorstellen *wollen*, daß der Gegner so erbärmlich schlecht sei. Und noch schlimmer: Fast bis zum Ende des Kampfes hatte er glauben wollen, daß er dem Unbekannten nicht einmal ebenbürtig sei. Unüberwindlich wollten ihm dessen Selbstsicherheit, Genialität und jugendlicher Nimbus scheinen. Deshalb hatte er so über die Maßen vorsichtig gespielt. Und nicht genug: Wenn Jean ganz ehrlich war, so mußte er sich sogar eingestehen, daß er den Fremden bewundert hatte, nicht anders als die andern, ja daß er sich gewünscht hatte, jener möge siegen und ihm, Jean, auf möglichst eindrucksvolle und geniale Weise die Niederlage, auf die zu warten er seit Jahren müde wurde, *endlich* beibringen, damit er endlich befreit wäre von der Last, der Größte zu sein und alle schlagen zu müssen, damit das gehässige Volk der Zuschauer, diese neidige Bande, endlich seine Befriedigung hätte, damit Ruhe wäre, endlich…

Aber dann hatte er natürlich doch wieder gewonnen. Und es war ihm dieser Sieg der ekelhafteste seiner Laufbahn, denn er hatte, um ihn zu vermeiden, ein ganzes Schachspiel lang sich selbst verleugnet und erniedrigt und vor dem erbärmlichsten Stümper der Welt die Waffen gestreckt.

Er war kein Mann großer moralischer Erkenntnisse, Jean, der Lokalmatador. Aber soviel war ihm klar, als er mit dem Schachbrett unterm Arm und dem Schächtelchen mit den Figuren in der Hand nach Hause schlurfte: daß er nämlich in Wahrheit heute eine Niederlage erlitten hatte, eine Niederlage, die deshalb so furchtbar und endgültig war, weil es für sie keine Revanche gab und sie durch keinen noch so glänzenden künftigen Sieg wieder würde wettzumachen sein. Und daher beschloß er – der im übrigen auch nie je ein Mann großer Entschlüsse gewesen war –,

Schluß zu machen mit dem Schach, ein für allemal.

Künftig würde er Boules spielen wie all die andern Rentner auch, ein harmloses, geselliges Spiel von geringerem moralischem Anspruch.

Das Vermächtnis
des Maître Mussard

»Unaufhörlich mit seinen absonderlichen Entdeckungen beschäftigt, erhitzt sich Mussard so sehr über diese Gedanken, daß sie sich wohl schließlich in seinem Kopfe zu einem System, das heißt zur Tollheit verdichtet haben würden, wenn nicht zum Glück für seine Vernunft, aber zum Kummer für seine Freunde, denen er lieb und wert war, der Tod herbeigekommen wäre, um ihn ihnen durch die seltsamste und grausamste Krankheit zu entreißen.«

Rousseau, Bekenntnisse

Diese wenigen Blätter sind bestimmt für einen mir unbekannten Leser und für ein späteres Geschlecht, das den Mut hat, die Wahrheit zu sehen, und die Kraft besitzt, sie zu ertragen. Kleine Geister mögen meine Worte fliehn wie Feuer, Gefälliges habe ich nicht zu berichten. Ich muß mich kurz fassen, denn mir bleibt nur noch wenig Zeit zu leben. Allein die Niederschrift eines Satzes verlangt eine Anstrengung von mir, die übermenschlich zu nennen ist, und die ich nicht zu leisten vermöchte, wenn nicht eine innere Notwendigkeit mich triebe, mein Wissen und das, was mir offenbar wurde, der Nachwelt mitzuteilen.

Die Krankheit, an der ich leide, und deren wahre Ursachen ich alleine kenne, wird von den Ärzten als Paralysis stomachosa bezeichnet und besteht in einer rapide fortschreitenden Lähmung meiner Glieder und sämtlicher innerer Organe. Sie zwingt mich, Tag und Nacht, von Kissen gestützt, aufrecht in meinem Bett zu sitzen und den auf der Decke liegenden Schreibblock mit der linken Hand – die rechte ist gänzlich unbeweglich – zu beschreiben. Das Wenden der Blätter besorgt Manet, mein treuer Diener, dem ich auch den Auftrag gegeben habe, für meinen Nachlaß Sorge zu tragen. Ich nehme seit drei Wochen nur noch flüssige Nahrung zu mir, seit zwei Tagen jedoch bereitet mir selbst das Schlucken von Wasser schier unerträgliche Schmerzen – doch ich darf mich nicht aufhalten mit der Beschreibung meines gegenwärtigen Zustandes, sondern muß die mir verbleibenden Kräfte ganz der Schilderung meiner Entdeckungen widmen. Zuvor noch ein Wort zu meiner Person.

Mein Name ist Jean-Jacques Mussard. Ich wurde geboren am 12. März 1687 in Genf. Mein Vater war Schuster. Ich hingegen fühlte schon früh die Berufung zu einem edleren Handwerk in mir und ging in die Lehre zu einem Goldschmied. Nach wenigen Jahren legte ich die Gesellenprüfung ab. Mein Gesellenstück war – Hohn des Schicksals! – ein von einer goldenen Muschel umschlossener Rubin. Am Ende einer zweijährigen Wanderschaft, in deren Verlauf ich die Alpen gesehen habe und das Meer und das weite Land dazwischen, zog es mich nach Paris, wo ich Anstellung bei dem Goldschmied Maître Lambert in der Rue Verdelet fand. Nach Maître Lamberts frühem Tod führte ich seine Werkstatt kommissarisch weiter, ehelichte ein Jahr darauf seine Witwe und erwarb auf diese Weise Meisterbrief und Zunftrecht. In den folgenden zwanzig Jahren gelang es mir, aus der kleinen Goldschmiede in der Rue Verdelet das größte und angesehenste Juweliergeschäft von ganz Paris zu machen. Meine Kundschaft kam aus den ersten Häusern der Hauptstadt, aus den besten Familien des Landes, aus der nächsten Umgebung des Königs. Meine Ringe, Broschen, Geschmeide und Diademe fanden ihren Weg nach Holland, England, in das Reich, und manches gekrönte Haupt hat meine Schwelle überschritten. 1733, zwei Jahre nach dem Tod meiner lieben Frau, erhielt ich die Ernennung zum Hofjuwelier des Herzogs von Orléans.

Der Zugang zu den erlauchtesten Kreisen unserer Gesellschaft blieb nicht ohne Wirkung auf die Entfaltung meiner geistigen Fähigkeiten und meiner charakterlichen Bildung.

Ich lernte aus Gesprächen, denen ich beiwohnen durfte, ich lernte aus Büchern, deren Lektüre ich nun jede freie Stunde opferte. Im Verlaufe von mehreren Jahrzehnten eignete ich mir auf diese Weise eine so gründliche Kenntnis der Wissenschaften, der Literatur, der Künste und des Lateins an, daß ich mich, wiewohl ich eine höhere Schule oder Universität nie besucht hatte, ohne Überheblichkeit als einen gelehrten Mann bezeichnen durfte. Ich verkehrte in allen wichtigeren Salons und hatte meinerseits die bekanntesten Geister unserer Zeit in meinem Hause zu Gast: Diderot, Condillac, d'Alembert saßen an meiner Tafel. Die Korrespondenz, die ich über Jahre hinweg mit Voltaire führte, wird man in meinem Nachlaß finden. Selbst den scheuen Rousseau zählte ich zu meinen Freunden.

Ich tue dieser Tatsache nicht deshalb Erwähnung, um etwa meinen zukünftigen Leser – sollte es ihn geben – mit der Anreihung berühmter Namen zu beeindrucken. Vielmehr will ich einem Vorwurf entschieden begegnen, der mir entstehen könnte, wenn ich erst einmal meine unglaublichen Entdeckungen und Erkenntnisse enthüllt haben werde, dem Vorwurf, ich sei ein armer Narr, dessen Äußerungen nicht ernstgenommen zu werden brauchten, da er keine Idee von der Philosophie und dem Stande der Wissenschaften unserer Zeit besäße. Jene Männer sind Zeugen für die Klarheit meines Geistes und für die Kraft meines Urteils. Wer also glaubt, mich nicht für ernst nehmen zu müssen, dem kann ich nur sagen: Wer bist du, Freund, daß du einem Manne widersprichst, den die Größten seiner Zeit als ihresgleichen achteten!

Die Vergrößerung der Werkstatt und die Ausweitung meiner Geschäfte hatten mich zu einem wohlhabenden Mann gemacht. Und doch, je älter ich wurde, desto weniger bedeutete mir der Reiz des Goldes und der Brillanten, und desto höher schätzte ich den der Bücher und der Wissenschaften. So beschloß ich, noch vor meinem sechzigsten Jahr, mich ganz aus dem Geschäftsleben zurückzuziehen und den Rest meiner Tage in Muße und gesichertem Wohlstand abseits vom Getriebe der Hauptstadt zu verbringen. Ich erwarb zu diesem Zweck ein Stück Land in der Nähe von Passy, ließ mir darauf ein geräumiges Haus errichten, und einen Garten mit allerlei Ziersträuchern, Blumenbeeten, Obstbäumen sowie sauberen Kieswegen und einigen kleinen Wasserspielen anlegen. Das Ganze war durch eine feste Hecke aus Buchsbaum vom Rest der Welt geschieden und schien mir in seiner reizenden und ruhigen Lage als der geeignete Platz für einen Mann, der zwischen die Kümmernisse des Lebens und den Tod noch eine Zeitspanne der Ruhe und des Genusses schieben wollte. Am 22. Mai 1742, im Alter von fünfundfünfzig Jahren, übersiedelte ich von Paris nach Passy und bezog das neue Anwesen.

Oh! Wenn ich heute an jenen Frühlingstag zurückdenke, an dem ich voll stillen Glücks und stiller Freude in Passy anlangte! Wenn ich an jene erste

Nacht denke, da ich zu Bette ging, zum ersten Mal im Leben ohne die drückende Erwartung eines Morgens von Geschäftigkeit, Terminen, Hast und Sorgen; in den Schlaf begleitet nur vom sanften Rauschen der Erlen meines eigenen Gartens, wie süß ich schlummerte – in den nämlichen Kissen, in denen ich jetzt versteinert sitze! Ich weiß nicht, ob ich jenen Tag verfluchen oder segnen soll. Seither bin ich nach und nach zugrunde gerichtet worden, bis hin zu meinem jetzigen erbärmlichen Zustand; aber seither hat sich mir auch Stück für Stück die Wahrheit enthüllt, die Wahrheit über den Anfang und den Lauf und das Ende unseres Lebens, unserer Welt, unseres ganzen Kosmos. Das Gesicht der Wahrheit ist furchtbar und sein Anblick tödlich wie der Anblick des Medusenhauptes. Aber wer einmal, durch Zufall oder durch stetiges Suchen, den Weg zu ihr gefunden hat, der muß ihn zu Ende gehen, auch wenn es dann für ihn keine Ruhe und keinen Trost mehr gibt, und wenn niemand es ihm dankt.

An dieser Stelle, unbekannter Leser, halte ein und prüfe dich, ehe du weiterliest! Bist du stark genug, das Schrecklichste zu vernehmen? Was ich dir sage, ist unerhört, und wenn ich dir einmal die Augen geöffnet habe, dann wirst du eine neue Welt sehen und die alte nicht mehr sehen können. Diese neue Welt aber wird häßlich sein und bedrängend und beklemmend. Erwarte nicht, daß dir irgendeine Hoffnung bleibt, irgendein Ausweg oder Trost, außer dem Trost, daß du nun die Wahrheit kennst, und daß diese Wahrheit die endgültige ist. Lies nicht weiter, wenn du Angst vor der Wahrheit hast! Leg diese Blätter weg, wenn Endgültigkeit dich schreckt! Fliehe meine Worte, wenn dir dein Seelenfrieden lieb ist! Unwissenheit ist keine Schande, den meisten gilt sie als Glück. Und in der Tat, sie ist das einzig mögliche Glück dieser Welt. Wirf es nicht leichtsinnig weg!

Ich sage dir nun, was du nie mehr vergessen wirst, weil du es im Innersten schon immer wußtest, ebenso wie ich es wußte, ehe es mir offenbar wurde. Wir haben uns nur dagegen gesträubt, es einzugestehen und auszusprechen: *Die Welt*, sage ich, *ist eine Muschel, die sich erbarmungslos schließt.*

Du sträubst dich? Du wehrst dich gegen die Einsicht? Es ist kein Wunder.

Der Schritt war zu groß. Du kannst ihn nicht auf einmal tun. Der alte Nebel liegt zu dicht, als daß ein großes Licht genügte, ihn zu vertreiben. Wir müssen hundert kleine entzünden. So will ich dir denn meine Geschichte weitererzählen und dich auf diese Weise der allmählichen Erleuchtung teilhaftig werden lassen, die mir widerfuhr:

Ich habe schon von dem Garten berichtet, der mein neues Haus umgab. In der Tat war es ein kleiner Park, in welchem sich zwar auch eine Vielzahl seltener Blumen, Sträucher und Bäume befand, den ich aber vor allem mit einfachen Rosen bepflanzen ließ, da der Anblick blühender Rosen mir seit je einen besänftigenden und tröstenden Eindruck verschaffte. Der Gärtner, dem ich bei der Anlage des Gartens im einzelnen freie Hand ließ, hatte auch vor meinem nach Westen gelegenen Salon eine breite Rabatte mit Rosen angelegt. Der brave Mann wollte mir eine Freude damit machen. Er konnte nicht ahnen, daß ich, so gern ich Rosen sah, doch nicht liebte, allzusehr von ihnen bedrängt und umwuchert zu sein. Ebensowenig konnte er ahnen, daß mit der Anlage des Beetes eine neue und die letzte Epoche der Menschheitsgeschichte ihren Anfang nehmen würde. Es verhielt sich nämlich mit den Rosen so, daß sie um keinen Preis gedeihen wollten. Die Sträucher blieben kümmerlich klein, manche verdorrten trotz fleißigstem Begießen, und als der übrige Garten in schönster Blüte stand, hatten die Rosen vor dem Salon noch nicht einmal Knospen getrieben. Ich besprach mich mit dem Gärtner, der wußte keinen Rat, als das ganze Beet auszuheben, mit frischer Erde zu füllen und neu zu bepflanzen. Mir schien dies Verfahren umständlich, und da ich im geheimen nie glücklich über die nahen Rosen gewesen war, erwog ich, die ganze Rabatte aufzulassen und an ihrer Stelle eine kleine Terrasse anzulegen, von welcher man, aus dem Salon tretend, den Blick über den ganzen Garten schweifen lassen und abends die schönsten Sonnenuntergänge bewundern würde. Diese Idee nahm mich so sehr gefangen, daß ich beschloß, sie eigenhändig auszuführen.

Ich begann, die Rosenstöcke zu entfernen und das Erdreich auszuheben, um es später mit Kies und Sand als Unterlage für die Platten wieder zu füllen.

Nach wenigen Spatenstichen jedoch förderte ich nicht mehr lockere Erde zu Tage, sondern stieß auf eine spröde weißliche Schicht, die das Graben sehr erschwerte. Ich nahm eine Hacke zu Hilfe, mit der ich das seltsame weiße Gestein lockerte. Es zerfiel und zerbröckelte unter den Schlägen zu kleinen Stücken, die sich mit der Schaufel beiseite schaffen ließen. Mein mineralogisches Interesse an dem neuen Gestein wurde durch den Ärger über die vermehrte Arbeit, welche mir seine Beseitigung verschaffte, in engen Grenzen gehalten, bis mein Blick einmal auf die volle Schaufelkelle fiel, gerade in dem Augenblick, als ich ausholte, um sie mit weitem Schwunge zu entleeren. Ich sah einen faustgroßen Stein auf der Kelle liegen, an dessen Seite ein feines, regelmäßig geformtes Ding zu kleben schien. Ich setzte die Schaufel ab, nahm den Stein in die Hand und erkannte zu meinem Erstaunen, daß das regelmäßig geformte Ding an der Seite des Steins eine steinerne Muschel war. Sogleich brach ich die Arbeit ab und ging ins Haus, um meinen Fund zu untersuchen. Die Muschel an der Seite des Steines schien fest mit diesem verwachsen und unterschied sich auch in der Farbe von ihm kaum anders, als daß sie das abwechselnde Spiel von Weiß und Gelb und Grau dank ihrer fächerhaft sich spreizenden, hier vertieften, da erhabenen Maserung verstärkte. Sie war etwa so groß wie ein Louisdor und glich in ihrer äußeren Gestalt aufs Haar jenen Muscheln, die wir an den Stränden der Normandie und der Bretagne finden, und die nicht selten als willkommene Platte auf unserem Mittagstisch erscheinen. Als ich mit einem Messer an der Muschel schabte und ein kleines Eckchen ihrer Schale abbrach, fand sich, daß die Bruchstelle in nichts von einer Bruchstelle an einer beliebigen Seite des Steines zu unterscheiden war. Ich zerstampfte das abgebrochene Stück Muschel in einem Mörser und zerstampfte ein abgebrochenes Stück Stein in einem zweiten; beide Male erhielt ich das nämliche grauweiße Pulver, welches, mit einigen Tropfen Wasser vermengt, aussah wie die Farbe, die man zum Tünchen von Wänden benutzt. Daß Muschel und Stein aus ein und derselben Substanz bestanden – die ungeheure Tragweite dieser Entdeckung, die mich heute noch erschauern läßt, war mir damals noch nicht völlig bewußt. Zu sehr war ich gefangen von der vermeintlichen Einmaligkeit meines Fundes, zu sehr glaubte ich an eine zufällige Laune der Natur, ich konnte mir eben nichts anderes vorstellen. Doch das sollte sich bald ändern.

Nachdem ich meine Muschel gründlich untersucht hatte, ging ich wieder hinaus zur Rosenrabatte, um zu sehen, ob ich noch weitere finden könnte. Ich brauchte nicht lange zu suchen. Mit jedem Hackenschlag, mit jedem Schaufelwurf förderte ich steinerne Muscheln zutage. Nun, da ich den richtigen Blick gewonnen hatte, entdeckte ich Muscheln über Muscheln, wo ich früher nur Steine und Sand gesehen hätte. In einer halben Stunde zählte ich wohl an die hundert Stück, danach hörte ich auf zu zählen, weil ich nicht genug Augen hatte, alle zu sehen.

Von einer dunklen Ahnung erfüllt, die ich mir nicht einzugestehen wagte, die aber sicher auch schon in dir aufkeimt, unbekannter Leser, ging ich mit meiner Schaufel zum entgegengesetzten Ende des Gartens und begann auch hier zu graben. Zunächst fand ich nur Erde und Lehm. Aber nach einem halben Meter stieß ich auf Muschelgestein. Ich grub an einer dritten, an einer vierten, ich grub an einer fünften und sechsten Stelle. Überall – manchmal schon beim ersten Spatenstich, manchmal in größerer Tiefe – fand ich Muscheln, Muschelgestein, Muschelsand.

In den folgenden Tagen und Wochen unternahm ich Exkursionen in die Umgebung. Zunächst grub ich in Passy, dann in Boulogne und Versailles, schließlich hatte ich ganz Paris von St. Cloud bis Vincennes, von Gentilly bis Montmorency systematisch umgraben, ohne auch nur ein einziges Mal vergeblich nach Muscheln zu suchen. Und wenn ich keine Muscheln fand, so fand ich Sand oder Stein, der mit ihnen substantiell identisch war. In den Flußläufen von Seine und Marne lagen die Muscheln in großer Zahl an der Oberfläche von Kiesbänken, während ich bei Charenton, mißtrauisch beobachtet vom Wachpersonal des dortigen Asyls, einen Schacht von fünf Metern Tiefe ausheben mußte, ehe ich fündig wurde. Von jeder Grabung brachte ich einige Exemplare der Muscheln und Proben des sie umgebenden Gesteins mit nach Hause, wo ich sie einer gewissenhaften

Prüfung unterzog. Das Resultat dieser Untersuchungen war jedesmal das gleiche wie bei meiner ersten Muschel. Die diversen Muscheln meiner Sammlung unterschieden sich bis auf die Größe in nichts voneinander, und, abgesehen von der Form, unterschieden sie sich auch nicht von dem Gestein, mit welchem sie verwachsen waren. Das Ergebnis meiner Examinationen und Exkursionen stellte mir nun zwei fundamentale Fragen, deren Beantwortung ich ebenso fürchtete wie ersehnte:

Erstens: Wie groß war das Außmaß der unterirdischen Verbreitung des Muschelgesteins?

Und zweitens: Wie und weshalb entstanden die Muscheln, oder mit anderen Worten gesagt: Was veranlaßte ein amorphisches oder jedenfalls ganz will-

kürlich geformtes Stück Stein, die außergewöhnlich kunstvolle Gestalt einer
Muschel anzunehmen?

Mein unbekannter Leser möge mir an
dieser Stelle nicht ins Wort fallen mit
dem Ausruf, schon der große Aristoteles habe sich mit solchen Fragen beschäftigt, und das Vorkommen von Muschelgestein sei weder eine originelle
noch überraschende Entdeckung, sondern eine seit Jahrtausenden bekannte
Erscheinung. Hierauf kann ich nur ent-
gegnen: Gemach, mein Freund, gemach!

Ich behaupte keineswegs, daß ich der
erste Mensch sei, der eine steinerne
Muschel gefunden hat. Jedermann, der
mit offenen Augen durch die Natur
geht, wird schon einmal eine gesehen
haben. Nur hat sich eben nicht jeder da-

bei etwas gedacht, und noch niemand hat so konsequent darüber nachgedacht wie ich. Selbstverständlich kenne und kannte ich die Werke der griechischen Philosophen über die Entstehung unseres Planeten, der Kontinente, der Landschaft usf., in denen sich auch Hinweise auf die steinernen Muscheln finden. Nachdem ich den praktischen Teil meiner Forschungen zum Abschluß gebracht hatte, ließ ich mir aus Paris jedes Buch kommen, von dem ich nur irgendeine Erhellung über das Problem der Muscheln zu erhoffen hatte. Ich durchforstete alle Werke über Kosmologie, Geologie, Mineralogie, Meteorologie, Astronomie und alle verwandten Gebiete. Ich las alle Autoren, die etwas zur Muschel zu sagen hatten, von Aristoteles bis Albertus Magnus, von Theophrast bis Grosseteste, von Avicenna bis Leonardo.

Hierbei ergab sich nun, daß diese großen Geister zwar eine hinreichende Kenntnis über das Vorkommen der Muscheln besaßen, über ihre Gestalt, Form, Verbreitung etc., daß sie jedoch alle versagten, wenn es darum ging, den Ursprung, das innerste Wesen und die eigentliche Bestimmung der Muscheln zu erklären.

Immerhin konnte ich nach dem Studium der Bücher die Frage nach dem Ausmaß der Vermuschelung beantworten. Dem Grundsatz folgend, daß man nicht um die ganze Welt zu segeln braucht, um zu wissen, daß der Himmel überall blau ist, hatte ich bereits vermutet, daß es Muscheln gab, wo auch immer man nur ein Loch grub, um nach ihnen zu suchen. Ich las nun von Muschelfunden nicht nur in Europa und dem weiten Asien, von den höchsten Berggipfeln bis in die tiefsten Flußtäler, sondern auch von Muschelkalk, Muschelsand, Muschelstein und ausgebildeten Muscheln, welche in den neuentdeckten Kontinenten von Nord- und Südamerika gefunden worden waren. Damit bestätigte sich, was ich schon bei meinen Pariser Funden befürchtet hatte, daß nämlich unser ganzer Planet von Muscheln und muschelartiger Substanz unterminiert ist. Das, was wir als die eigentliche Gestalt unserer Erde ansehen, Wiesen und Wälder, Seen und Meere, Gärten, Äcker, Ödland und fruchtbare Ebenen, all das ist nichts als ein gefälliger, aber dünner Mantel um einen spröden Kern. Würde man diesen dünnen Mantel entfernen, dann sähe unser Planet aus wie ein grau-weißer Ball, der zusammengesetzt und zusammengewachsen ist aus Myriaden von louisdorgroßen steinernen Muscheln. Auf einem solchen Planeten wäre kein Leben mehr möglich.

Die Entdeckung, daß die Erde im wesentlichen aus Muscheln besteht, könnten wir als belanglose Kuriosität achten, wenn es sich hierbei um einen Zustand handelte, der unveränderlich und abgeschlossen wäre. Leider ist dies nicht der Fall. Meine umfangreichen Studien, deren Gang im einzelnen hier darzulegen mir keine Zeit mehr bleibt, haben ergeben, daß die Vermuschelung der Erde ein rapide fortschreitender, nicht aufzuhaltender Prozeß ist. Schon in unseren Tagen ist der erdige Mantel der Welt allenthalben fadenscheinig und brüchig geworden. An vielen Stellen ist er bereits von muscheliger Substanz zernagt und zerfressen. So lesen wir bei den Alten von der Insel Sizilien, von der Nordküste Afrikas, von der Iberischen Halbinsel als den gesegnetsten und fruchtbarsten Landstrichen der damaligen Welt. Heute sind die nämlichen Gebiete, wie allgemein bekannt, bis auf geringe Ausnahmen, nur noch von Staub, Sand und Steinen bedeckt, welche nichts als eine Vorstufe der Muschelbildung darstellen. Das gleiche gilt für den größten Teil Arabiens, für die Nordhälfte Afrikas und, wie wir aus neuesten Berichten wissen, für noch gar nicht überschaubare Teile Amerikas. Und sogar in unserem eigenen Land, das wir gemeinhin als besonders ausgezeichnet unter den Ländern ansehen, läßt sich die anhaltende Vermuschelung nachweisen. So soll in Teilen der westlichen Provence und der Südcevennen der Erdmantel bereits bis auf Fingerdicke reduziert sein. Im ganzen genommen übertrifft die bereits der Vermuschelung anheimgefallene Erdoberfläche die Fläche Europas um ein beträchtliches.

Der Grund für die unaufhaltsame Vermehrung von Muscheln und Muschelsubstanz liegt in der Unaufhaltbarkeit des Wasserkreislaufes. Denn ebenso wie normalen, im Meere lebenden Muscheln, erweist sich auch den Steinmuscheln das Wasser als engster Verbündeter, ja geradezu als Seinselement. Wie jeder gebildete Mensch weiß, beschreibt das Wasser einen ewigen Kreislauf, indem es, durch die Sonnenstrahlen veranlaßt, über dem Meere aufsteigt und sich zu Wolken ballt, welche, vom Winde in große Entfernungen getragen, über Land sich öffnen und das Wasser in Form von Regentropfen auf die Erde ergießen. Dort tränkt und durchdringt es das Erdreich bis in die kleinste Krume, worauf es sich in Quellen und Rinnsalen wieder vereinigt, zu Bächen und Flüssen anschwillt und schließlich wieder dem Meere zustrebt. Seinen verhängnisvollen Beitrag zur Muschelbildung leistet das Wasser in dem Stadium, da es ins Erdreich dringt. Dieses löst es nämlich bei der Durchdringung nach und nach auf, zersetzt es regelrecht und schwemmt es ab. Hierauf sickert das Wasser tiefer, bis es auf die Muschelsteinschicht trifft, und gibt dort die zur Muschelbildung notwendigen, aus dem Erdreich gewonnenen Stoffe an das Muschelgestein ab. Auf diese Weise wird der Erdmantel immer dünner, während die Muschelsteinschicht unaufhaltsam wächst. Eine Bestätigung dieser meiner Entdeckung wird man erhalten, wenn man normales Brunnenwasser in einem Topf siedet. Am Boden und an den Wänden des Topfes bilden sich weißliche Ablagerungen. Bei Töpfen, die über längere Zeit zum Sieden von Wasser verwendet werden, können die Ablagerungen Krusten von erheblicher Dicke bilden. Löst man die Kruste ab und zerstößt sie in einem Mörser, so erhält man dasselbe Pulver wie beim Zerstoßen von Steinmuscheln. Der gleiche Versuch mit Regenwasser unternommen, erbringt hingegen keinerlei Ablagerungen.

Mein unbekannter Leser wird nun die verzweifelte Lage begreifen, in der sich die Welt befindet: Das Wasser, ohne das wir nicht einen Tag lang leben können, zerstört unsere Lebensgrundlage, die Erde, und arbeitet unserem ärgsten Feind in die Hände, der steinernen Muschel. Dabei ist die Verwandlung des lebenspendenden Elements Erde in das lebensfeindliche, steinerne ebenso unausweichlich und unwiderruflich wie die Metamorphose einer Vielfalt blühender Formen in eine all-einzige Muschelform. Machen wir uns also keine falschen Vorstellungen mehr vom Ende der Welt, es gibt nur dies eine der vollkommenen Vermuschelung, dies eine aber gibt es so gewiß, wie die Sonne auf- und untergeht, und wie der Nebel steigt, und wie der Regen fällt. Wie dies

Ende im einzelnen aussieht, will ich später beschreiben. Vorerst muß ich den Einwänden begegnen, die man mir machen wird, und die ich nur allzu gut verstehen kann. Denn das Schreckliche will kein Mensch sehen, und die Angst erfindet tausend Wenn und Aber. Allein, der Philosoph darf nur die Wahrheit gelten lassen.

Wie kläglich unsere angesehensten Philosophen versagen, wenn es darum geht, die Erscheinung der Muscheln zu erklären, habe ich schon kurz angedeutet. Manche machen es sich gar so leicht und behaupten, in den Muscheln sei nichts anderes zu sehen als ein zufälliges Spiel der Natur, der es, aus welchem Grund auch immer, gefallen habe, Steine in Form von Muscheln zu prägen. Jedem vernünftigen Menschen wird diese oberflächliche und bequeme Erklärung, wie sie namentlich von den italienischen Autoren noch heute verbreitet wird, als so lächerlich und unwissenschaftlich vorkommen, daß ich es mir ersparen kann, darauf einzugehen.

Eine zweite, ernster zu nehmende Meinung, die auch von den größeren Philosophen vertreten wird, besagt, die ganze Erde sei in Vorzeiten vom Meere bedeckt gewesen, und beim Zurückweichen desselben seien die lebenden Muscheln überall liegengeblieben. Zum Beweis ihrer Behauptung stützen sich jene Gelehrte auf die Schilderung der Sintflut in der Bibel, wo ja tatsächlich geschrieben steht, daß die gesamte Erde bis hin zu den höchsten Gipfeln von Wasser überflutet gewesen sei. So einleuchtend diese Deutung einem unbedarften Geist erscheinen mag, so energisch muß ich ihr doch als Wissender entgegentreten. Im Buche Moses können wir lesen, daß die Überschwemmung der Erde im ganzen 370 Tage lang gedauert hat, und daß die Berggipfel – wo es nicht weniger Muscheln gibt als im Flachland! – gerade 150 Tage unter Wasser standen. Wie sollte, so frage ich, eine Überflutung von nur so kurzer Zeit Muscheln von so großer Zahl hinterlassen, wie wir sie heute finden? Außerdem müßten die vor vielen tausend Jahren von der Sintflut übriggebliebenen Muscheln längst von der Witterung abgeschliffen und zu Sand gemahlen sein. Und selbst wenn sie sich auf unerklärliche Weise konserviert haben sollten, könnte doch niemand erklären, weshalb sie sich ständig vermehren, wie wir das festgestellt haben. Wir sehen also, daß alle Deutungen und Erklärungen des Muschelwesens, außer der meinen, jeder Grundlage entbehren.

Bisher haben wir erkannt, daß die äußere Gestalt unserer Erde einer ständigen Umwandlung von vielfältigster Materie in Muschelsubstanz ausgesetzt ist. Es liegt nun die Vermutung nahe, daß die Vermuschelung ein allgemeines Prinzip darstellt, welchem nicht nur die äußere Erdgestalt, sondern auch alles irdische Leben, jedes Ding und Wesen auf Erden, ja im ganzen Kosmos unterworfen sind.

Ein Blick durch das Fernrohr hatte mich schon längst davon überzeugt, daß unser nächster Nachbar im Weltall, der Mond, ein geradezu klassisches Beispiel für die Vermuschelung des Kosmos ist. Allerdings hat er schon ein Stadium erreicht, das der Erde noch bevorsteht, nämlich das der vollständig abgeschlossenen Umwandlung aller Materie in Muschelsubstanz. Zwar gibt es Astronomen, sogar bei Hofe, die behaupten, der Mond sei ein wirtlicher Planet mit bewaldeten Hügeln, saftigen Wiesen, großen Seen und Meeren. Er ist nichts von dem. Was jene Dilettanten für Meere halten, sind riesige Muschelwüsten, und was sie in ihre Mondkarten als Gebirge einzeichnen, sind öde Halden aus Muschelgestein. Das gleiche gilt für andere Gestirne.

Spätere Generationen mit schärferem Verstand und schärferen Fernrohren werden mir recht geben.

Noch entsetzlicher als die Vermuschelung des Kosmos ist der stetige Verfall unseres eigenen Körpers zu Muschelsubstanz. Dieser Verfall ist so heftig, daß er bei jedem Menschen unweigerlich zum Tode führt. Während der Mensch bei der Zeugung, wenn ich so sagen darf, nur aus einem Klümpchen Schleim besteht, welches zwar klein, aber noch völlig frei von Muschelsubstanz ist, so bildet er bereits beim Heranwachsen im Mutterleibe Ablagerungen davon aus. Kurz nach der Geburt sind diese Ablagerungen noch hinreichend weich und schmiegsam, wie wir das an den Köpfen der Neugeborenen feststellen können. Aber schon nach kurzer Zeit ist die Verknöcherung des kleinen Körpers, die Umschalung und Beengung des Gehirns durch eine harte steinige Kapsel so weit gediehen, daß das Kind eine ziemlich starre Gestalt annimmt. Die Eltern jauchzen und sehen nun erst einen richtigen Menschen in ihm. Sie begreifen nicht, daß ihr Kind, kaum daß es zu laufen beginnt, schon von Muscheln befallen ist und nur noch seinem sicheren Ende entgegentaumelt. Allerdings befindet sich das Kind in einem beneidenswerten Zustand, wenn man es mit einem alten Menschen vergleicht. Im Alter nämlich wird die Versteinerung des Menschen am deutlichsten sichtbar: Seine Haut wird spröde, die Haare brechen, die Adern, das Herz, das Gehirn verkalken, der Rücken krümmt sich, die ganze Gestalt biegt und wölbt sich, der inneren Struktur der Muschel folgend, und schließlich fällt er in die Grube als ein jämmerlicher Trümmerhaufen von Muschelstein. Und selbst damit ist es noch nicht zu Ende. Denn der Regen fällt, die Tropfen dringen ein ins Erdreich, und das Wasser zernagt und zerkleinert ihn in winzige Teile, die es hinabträgt zur Muschelschicht, wo er dann in Form der bekannten Steinmuscheln seine letzte Ruhe findet.

Wer mir in diesem Zusammenhang vorwirft, ich phantasiere oder behaupte Dinge, die des Beweises entbehren, den frage ich nur: Merkst du nicht selbst, wie du von Jahr zu Jahr verknöcherst, wie du unbeweglicher wirst, wie du an Leib und Seele vertrocknest? Weißt du nicht mehr, wie du als Kind sprangst, dich drehtest und bogst, zehnmal am Tag fielst und zehnmal wieder aufstandest, als sei nichts geschehn? Entsinnst du dich nicht mehr deiner zarten Haut, des weichen, kräftigen Fleisches, der nachgiebigen und doch unbezwingbaren Lebenskraft? Sieh dich dagegen jetzt an! Deine Haut in Falten und Runzeln gelegt, dein Gesicht sauertöpfisch gekerbt und vom inneren Leiden verzehrt, dein Körper steif und ächzend, jede Bewegung eine Mühe, jeder Schritt ein Entschluß, ständig die peinigende Angst, daß du zu Boden fällst und dabei in Scherben brichst wie ein trockener Tonkrug. Spürst du sie nicht? Fühlst du sie nicht in jeder Faser, die Muschel in dir? Merkst du nicht, wie sie dir ans Herz greift? Sie hat dein Herz schon halb umschlossen. Ein Lügner, wer es leugnet!

Ich selbst bin wohl das größte und traurigste Beispiel für den den Muscheln verfallenen Menschen. Obwohl ich schon seit Jahren Regenwasser

trinke, um den Zuwachs an Muschelsubstanz möglichst gering zu halten,
bin doch gerade und ausgerechnet ich
am stärksten angegriffen. Als ich vor
wenigen Tagen mit der Niederschrift
meines Vermächtnisses begann, konnte
ich die linke Hand noch leidlich frei bewegen. Mittlerweile sind die Finger so
versteinert, daß ich die Feder nicht
mehr selbst aus der Hand legen kann.
Da sich ein Diktat meiner Mitteilungen
unbedingt verbietet, mir auch das Spre-
chen große Schmerzen bereiten würde,
muß ich nun aus dem Handgelenk unter begleitenden Schub- und Zugbewe-
gungen des ganzen Armes schreiben.
Diese außergewöhnlich schnelle Vermuschelung, gerade bei mir, ist kein Zufall. Zu lange habe ich mich mit den
Muscheln beschäftigt, und zu viele Ge-

heimnisse habe ich ihnen entrissen, als daß sie mir nicht vor allen übrigen Menschen ein besonders grausames Ende bereiten wollten. Denn obwohl die Macht der Muscheln immer ungefährdet sein wird, so ist sie doch ein Geheimnis, auf dessen Wahrung sie eitel und rachsüchtig bedacht sind.

Du wirst erstaunt sein, mein unbekannter Leser, mich von den Muscheln, jenen scheinbar leblosen, steinähnlichen Gebilden, als Wesen reden zu hören, die in besondere Beziehung zu einem bestimmten Menschen treten können, um ihn mit ihrer Rache heimzusuchen. So werde ich dich denn in das letzte und ungeheuerlichste Geheimnis des Muschelwesens einführen, wobei du freilich Gefahr läufst, daß du nicht anders endest als ich.

Schon ganz zu Beginn meiner Erfahrungen mit Muscheln hatte ich mir die Frage gestellt, weshalb ein aus Muschelsubstanz bestehender Stein gerade die Form der Muschel und keine andere annimmt. Die Philosophen lassen uns bei der Beantwortung dieser entscheidenden Frage wiederum im Stich. Einzig bei dem Araber Avicenna finden wir den Hinweis auf eine ›vis lapidificativa‹, aber woher diese Kraft stammt, und weshalb sie sich in bestimmter, auf die Muscheln bezogener Weise äußert, kann auch er uns nicht sagen. Ich hingegen war schon recht bald überzeugt, daß hinter der universalen Vermuschelung nicht nur irgendeine Kraft, sondern geradezu *die* weltbewegende Kraft stehen müsse, welche einem einzigen Höchsten Willen gehorchte. So sicher ich von der Existenz dieses Höchsten Willens überzeugt war, da ich seine Emanation ja in den steinernen Muscheln erkannt hatte, so wenig konnte ich mir doch eine Vorstellung von dem Wesen machen, das diesen Willen äußerte. Was für ein Wesen konnte es sein, das jeden einzelnen von uns erwürgen ließ, die Welt zur Wüste machte und Himmel und Erde in ein steinernes Muschelmeer verwandelte?

Jahrelang habe ich nachgedacht. Ich habe mich in meine Schreibstube eingeschlossen und mein Gehirn zermartert. Ich bin hinaus in die Natur gegangen, um Erleuchtung zu erlangen. Es war alles vergebens. Schließlich will ich gestehen, daß ich jenes unbekannte Wesen anflehte, sich mir zu erkennen zu geben, daß ich es beschwor, daß ich es verfluchte. Aber es ereignete sich nichts. Meine Gedanken kreisten in den gleichen Bahnen wie seit Jahren, das Leben nahm seinen gleichen quälenden Gang, und schon dachte ich, daß auch der arme Mussard hinab zu den Muscheln müßte, ohne der letzten Wahrheit teilhaftig zu werden, wie der Rest der Menschheit vor ihm.

Aber dann geschah dies einmalige Ereignis, das ich nun schildern muß, und das ich nicht zu schildern vermag, weil es sich in einer Sphäre abspielte, die gewissermaßen oberhalb oder außerhalb der Sphäre der Wörter lag. So will ich versuchen zu erzählen, was sich erzählen läßt, und das Unerzählbare in seiner Wirkung auf mich beschreiben. Ob ich mich verständlich mache, wird zum nicht geringen Teil von dir abhängen, mein unbekannter Leser, der du mir nun bis hier gefolgt bist. Ich weiß, daß du mich verstehen wirst, wenn du mich nur verstehen willst.

Es geschah an einem Frühsommertag vor einem Jahr. Das Wetter war schön, der Garten stand in voller Blüte. Der Duft der Rosen begleitete mich bei meinem Spaziergang, und die Vögel sangen, als wollten sie die ganze Welt davon überzeugen, daß sie ewig sei, und daß dies nicht einer ihrer letzten Sommer wäre, bevor die Muscheln kämen. Es ging wohl auf die Mittagsstunde, denn die Sonne schien sehr heiß. Ich setzte mich auf die Bank im Halbschatten eines Apfelbaumes, um mich auszuruhen. Von fern hörte ich das Plätschern des Springbrunnens. Ich schloß vor Erschöpfung die Augen. Da schien mir mit einem Mal das Plätschern des Springbrunnens lauter zu werden und zu einem wahren Rauschen anzuschwellen. Und dann geschah es. Ich wurde aus meinem Garten weggetragen in das Dunkle. Ich wußte nicht, wo ich mich befand, ich war nur umgeben von der Dunkelheit und von merkwürdigen gurgelnden und rauschenden sowie knirschenden und mahlenden Geräuschen. Diese beiden Geräuschgruppen – das wäßrige Rauschen und das steinige Knirschen – schienen mir in dem Augenblick als die Schöpfungsgeräusche der Welt, wenn ich so sagen darf. Ich hatte Angst. Als die Angst am stärksten war, fiel ich abwärts, die Geräusche entfernten sich, dann fiel ich aus der Dunkelheit heraus. Mit einem Mal war ich von so viel Licht umgeben, daß ich glaubte, blind zu werden. Ich fiel weiter im Licht und entfernte mich von dem dunklen Ort, den ich jetzt als ungeheure schwarze Masse über mir erkannte. Je weiter ich fiel, desto mehr erkannte ich von der Masse, und desto größer wurden ihre Ausmaße. Schließlich wußte ich, daß die schwarze Masse über mir eine Muschel war. Da spaltete sich die Masse in zwei Teile, öffnete ihre schwarzen Flügel wie ein gigantischer Vogel, riß die beiden Muschelschalen auf über das ganze Weltall und senkte sich herab über mich, über die Welt, über alles was ist und über das Licht und schloß sich darüber. Und es wurde endgültig Nacht, und das einzige, was es noch gab, war das Geräusch des Mahlens und Rauschens.

Der Gärtner fand mich auf dem Kiesweg liegen. Ich hatte versucht, von der Bank aufzustehen, und war vor Erschöpfung zusammengebrochen. Man trug mich ins Haus und legte mich in das Bett, aus dem ich seither nicht mehr aufgestanden bin. Ich war so geschwächt, daß der Arzt um mein Leben fürchtete. Erst nach drei Wochen war ich leidlich wiederhergestellt. Allein, es blieb von jenem Tage an ein sich ballender Schmerz in meinem Magen, der sich seither von Tag zu Tag verstärkt hat und in immer größere Bereiche meines Körpers vorgedrungen ist. Dies ist die Muschelkrankheit, die sich an mir exemplarisch auswirkt, die mich besonders grausam und rasch anfällt, die mich auszeichnet vor anderen als denjenigen Menschen, der die Muschel gesehen hat. Ich muß bitter bezahlen für meine Erleuchtung, aber ich bezahle gern, denn nun besitze ich die Antwort auf die letzte aller Fragen: Die Kraft, die alles Leben in ihren Bann schlägt und alles Ende herbeiführt, der höchste Wille, der das Universum beherrscht und es zur Vermuschelung als dem Zeichen der eigenen Omnipräsenz und Omnipotenz zwingt, geht aus von der großen Urmuschel, aus deren Innern ich für kurze Zeit entlassen war, um ihre Größe und furchtbare Herrlichkeit zu schauen. Was ich gesehen habe, war die Vision des Weltendes. Wenn die Vermuschelung der Welt so weit gediehen ist, daß jedermann die Macht der Muschel erkennen muß, wenn die Menschen, der Hilflosigkeit und dem Entsetzen preisgegeben, zu ihren verschiedenen Göttern schreien und sie um

Hilfe und Erlösung anflehen, dann wird als einzige Antwort die große Muschel ihre Flügel öffnen und sie über der Welt schließen und alles in sich zermahlen.

Nun habe ich dir alles gesagt, mein unbekannter Leser, was soll ich noch mehr sagen? Wie sollte ich dich trösten? Soll ich von der Unzerstörbarkeit deiner Seele, von der Gnade des barmherzigen Gottes, von der Auferstehung des Leibes faseln wie die Philosophen und Propheten? Soll ich die Muschel zum gütigen Gott erklären? Soll ich nach dem Kult des Jahve und Allahs den Kult der Muschel ausrufen und den Menschen Erlösung verheißen? Wozu? Wozu lügen? Man sagt, der Mensch kann nicht leben ohne Hoffnung. Nun, er lebt ja nicht, sondern er stirbt. Was mich betrifft, so fühle ich, daß ich diese

Nacht nicht überstehen werde, und in meiner letzten Nacht werde ich nicht anfangen zu lügen. Ich bin erleichtert, daß ich endlich ans Ende des Sterbens komme. Du, mein armer Freund, stehst ja noch mitten darin.

Nachschrift Claude Manets, des Dieners des Herrn Mussard

Heute, den 30. August 1753, im Alter von sechsundsechzig Jahren, ist mein guter Herr, Maître Mussard, gestorben. Ich fand ihn frühmorgens in der gewohnten Haltung in seinem Bette sitzen. Die Augen vermochte ich ihm nicht zu schließen, da seine Lider nicht zu bewegen waren. Als ich die Feder aus seiner Hand nehmen wollte, zerbrach meines Herren linker Zeigefinger wie Glas. Der Leichenwäscher konnte ihn nur unter größter Mühe ankleiden, da mein Herr auch nach Ablauf der üblichen Totenstarre seine versteifte sitzende Haltung nicht aufgeben wollte. Dr. Procope, der Freund und Arzt meines Herrn, wußte keinen Rat, als einen rechtwinkligen Sarg zimmern zu lassen, und am ersten Tag des Septembers wurde mein Herr zum Entsetzen der Trauergemeinde in einem rechtwinkligen Grab, welches nach der Beisetzung allerdings von tausend Rosen überschüttet war, auf dem Friedhof zu Passy zur letzten Ruhe gebettet. Gott sei seiner Seele gnädig!

... und eine Betrachtung

Amnesie in litteris

...Wie war die Frage? Achsoja: Welches Buch mich beeindruckt, geprägt, gestempelt, gebeutelt, gar ›auf ein Gleis gesetzt‹ oder ›aus der Bahn geworfen‹ hätte.

Aber das klingt ja nach Schockerlebnis oder traumatischer Erfahrung, und diese pflegt der Geschädigte sich allenfalls in Angstträumen zu vergegenwärtigen, nicht aber bei wachem Bewußtsein, geschweige denn schriftlich und vor aller Öffentlichkeit, worauf, so scheint mir, bereits ein österreichischer Psychologe, dessen Name mir momentan entfallen ist, in einem sehr lesenswerten Aufsatz, an dessen Titel ich mich nicht mehr mit Bestimmtheit erinnern kann, der aber in einem Bändchen unter der Sammelüberschrift ›Ich und Du‹ oder ›Es und Wir‹ oder ›Selbst Ich‹ oder so ähnlich erschienen ist (ob neuerdings bei Rowohlt, Fischer, dtv oder Suhrkamp wiederaufgelegt, wüßte ich nicht mehr zu sagen, wohl aber, daß der Umschlag grün-weiß oder hellblaugelblich, wenn nicht gar grau-blaugrünlich war), zu Recht hingewiesen hat.

Nun, vielleicht ist die Frage ja gar nicht nach neuro-traumatischen Leseerfahrungen gerichtet, sondern meint eher jenes aufrüttelnde Kunsterlebnis, wie es in dem berühmten Gedicht ›Schöner Apollo‹… nein, es hieß, glaube ich, nicht ›Schöner Apollo‹, es hieß irgendwie anders, der Titel hatte etwas Archaisches, ›Junger Torso‹ oder ›Uralter schöner Apoll‹ oder so ähnlich hieß es, aber das tut nichts zur Sache… – wie es also in diesem berühmten Gedicht von… von… – ich kann mich im Augenblick nicht auf seinen Namen besinnen, aber es war wirklich ein sehr berühmter Dichter mit Kuhaugen und einem Schnauzbart, und er hat diesem dicken französischen Bildhauer (wie hieß er schon gleich?) eine Wohnung in der Rue de Varenne besorgt – Wohnung ist kein Ausdruck, ein Palazzo ist das, mit einem Park, den man in zehn Minuten nicht durchmessen kann! (Man fragt sich beiläufig, wovon die Leute das damals alles bezahlt haben) – wie es jedenfalls seinen Ausdruck in diesem herrlichen Gedicht findet, das ich in seiner Gänze nicht mehr zitieren könnte, dessen letzte Zeile mir jedoch als ein ständiger moralischer Imperativ ganz unauslöschlich im Gedächtnis eingegraben steht, sie lautet nämlich: »Du mußt dein Leben ändern.« Wie verhält es sich also mit jenen Büchern, von denen ich sagen könnte, ihre Lektüre habe mein Leben geändert? Um dieses Problem zu erhellen, trete ich (es ist nur wenige Tage her) an mein Bücherregal und lasse den Blick an den Bücherrücken entlangwandern. Wie immer bei solchen Gelegenheiten – wenn nämlich von einer Spezies allzu viele Exemplare auf einem Fleck versammelt sind und sich das Auge in der Masse verliert – wird mir zunächst schwindlig, und um dem Schwindel Einhalt zu gebieten, greife ich aufs Geratewohl in die Masse hinein, picke mir ein einzelnes Buch heraus, wende mich damit ab wie mit einer Beute, schlage es auf, blättere darin und lese mich fest.

Bald merke ich, daß ich einen guten Griff getan habe, einen sehr guten sogar. Das ist ein Text von geschliffener Prosa und klarster Gedankenführung, gespickt mit interessantesten, nie gekannten Informationen und voll der wunderbarsten Überraschungen – leider will mir im Moment, da ich dies schreibe, der Titel des Buches nicht mehr einfallen, ebensowenig wie der Name des Autors oder der Inhalt, aber das tut, wie man gleich sehen wird, nichts zur Sache, oder vielmehr: trägt im Gegenteil zu ihrer Erhellung bei. Es ist, wie gesagt, ein hervorragendes Buch, was ich da in Händen halte, jeder

Satz ein Gewinn, und ich stolpere lesend zu meinem Stuhl, lasse mich lesend nieder, vergesse lesend, weshalb ich überhaupt lese, bin nur noch konzentrierte Begierde auf das Köstliche und völlig Neue, das ich hier Seite um Seite entdecke. Gelegentliche Unterstreichungen im Text oder mit Bleistift an den Rand hingekritzelte Ausrufezeichen – Spuren eines lesenden Vorgängers, die ich in Büchern ansonsten nicht eben schätze – stören mich in diesem Falle nicht, denn so spannend läuft die Erzählung dahin, so munter perlt die Prosa, daß ich die Bleistiftspuren gar nicht mehr wahrnehme, und wenn ich es doch einmal tue, dann nur in zustimmendem Sinne, denn es erweist sich, daß mein lesender Vorgänger – ich habe nicht den geringsten Schimmer einer

Ahnung, wer es sein könnte –, es erweist sich, sage ich, daß jener seine Unterstreichungen und Exklamationen
just an jenen Stellen angebracht hat, die
auch mich am stärksten begeistern. Und
so lese ich, von der überragenden Qua-
lität des Textes und der spirituellen
Kumpanei mit meinem unbekannten
Vorgänger doppelt beflügelt, weiter,
tauche immer tiefer in die erdichtete
Welt, folge mit immer größerem Erstaunen den herrlichen Pfaden, auf denen der Autor mich führt...

Bis ich an eine Stelle komme, die wohl
den Höhepunkt der Erzählung bildet
und die mir ein lautes »Ah!« entlockt.
»Ah, wie gut gedacht! Wie gut gesagt!«
Und ich schließe für einen Moment die
Augen, um dem Gelesenen nachzusin-
nen, das mir gleichsam eine Schneise in

das Wirrwarr meines Bewußtseins geschlagen hat, mir völlig neue Perspekti-
ven eröffnet, neue Erkenntnisse und
Assoziationen zuströmen läßt, ja mir
tatsächlich jenen Stachel des »Du mußt
dein Leben ändern!« einsticht. Und au-
tomatisch fast greift meine Hand zum
Bleistift, und »du mußt dir das anstrei-
chen«, denke ich, »ein ›Sehr gut‹ wirst
du an den Rand schreiben und ein
dickes Rufzeichen dahintersetzen und
mit ein paar Stichworten die Gedan-
kenflut notieren, die die Passage in dir
ausgelöst hat, deinem Gedächtnis zur
Stütze und als dokumentierte Reverenz
an den Autor, der dich so großartig er-
leuchtet hat!«

Aber ach! Als ich den Bleistift auf die
Seite niedersenke, um mein »Sehr gut!«
hinzukritzeln, da steht dort schon ein

»Sehr gut!«, und auch das stichworthafte Resümee, das ich notieren will, hat mein lesender Vorgänger bereits verzeichnet, und er hat es in einer Handschrift getan, die mir wohlvertraut ist, nämlich in meiner eigenen, denn der Vorgänger war niemand anders als ich selbst. Ich hatte das Buch längst gelesen.

Da faßt mich ein namenloser Jammer an. Die alte Krankheit hat mich wieder: *Amnesie in litteris,* der vollständige literarische Gedächtnisschwund. Und eine Welle der Resignation über die Vergeblichkeit allen Strebens nach Erkenntnis, allen Strebens schlechthin überschwemmt mich. Wozu denn lesen, wozu denn etwa dieses Buch noch einmal lesen, wenn ich doch weiß, daß nach kürzester Zeit nicht einmal mehr der

Schatten einer Erinnerung davon zurückbleibt? Wozu denn überhaupt noch etwas tun, wenn alles zu nichts zerfällt? Wozu denn leben, wenn man ohnehin stirbt? Und ich klappe das schöne Büchlein zu, stehe auf und schleiche wie ein Geschlagener, wie ein Geprügelter zum Regal zurück und versenke es in der Reihe der anonym und massenhaft und vergessen dastehenden anderen Bände.

Am Ende des Bordes bleibt der Blick hängen. Was steht da? Achja: drei Biographien über Alexander den Großen. Die habe ich einst alle gelesen. Was weiß ich über Alexander den Großen? Nichts. Am Ende des nächsten Bordes stehen mehrere Konvolute über den Dreißigjährigen Krieg, darunter fünfhundert Seiten Veronica Wedgwood und tausend Seiten Wallenstein von Golo Mann. Das habe ich alles brav gelesen. Was weiß ich über den Dreißigjährigen Krieg? Nichts. Die Regalreihe darunter ist von vorn bis hinten vollgestopft mit Büchern über Ludwig II. von Bayern und seine Zeit. Die habe ich nicht nur gelesen, die habe ich durchgeackert, über ein Jahr lang, und anschließend drei Drehbücher darüber geschrieben, ich war beinahe eine Art Ludwig-II.-Experte. Was weiß ich jetzt noch über Ludwig II. und seine Zeit? Nichts. Absolut nichts. Nun gut, denke ich mir, bei Ludwig II. läßt sich diese Totalamnesie vielleicht noch verschmerzen. Aber wie verhält es sich mit den Büchern, die dort drüben stehen, neben dem Schreibtisch, in der feineren, der literarischen Abteilung? Was ist mir im Gedächtnis geblieben von der fünfzehnbändigen Andersch-Kassette? Nichts. Was von den Bölls, Walsers und Koeppens? Nichts. Von den zehn Bänden Handke? Weniger als nichts. Was weiß ich noch von Tristram Shandy, was von Rousseaus Bekenntnissen, von Seumes Spaziergang? Nichts, nichts, nichts. – Aber da! Shakespeares Komödien! Letztes Jahr erst sämtlichst gelesen. Da muß doch etwas hängengeblieben sein, eine undeutliche Ahnung, ein Titel, ein einziger Titel einer einzigen Komödie von Shakespeare! Nichts. – Aber um Himmels willen, Goethe wenigstens, Goethe, da, hier zum Beispiel, das weiße Bändchen: ›Die Wahlverwandtschaften‹, das habe ich mindestens dreimal gelesen – und keinen Schimmer mehr davon. Alles wie weggeblasen. Ja gibt es denn kein Buch mehr auf der Welt, an das ich mich erinnere? Die beiden roten Bände dort, die dicken mit den roten Stoffähnchen, die muß ich doch noch kennen, die kommen mir vertraut vor wie alte Möbel, die habe ich gelesen, gelebt habe ich in diesen Bänden, wochenlang, vor gar nicht allzu langer Zeit, was ist denn das, wie heißt denn das? ›Die Dämonen‹. Soso. Aha. Interessant. – Und der Autor? F. M. Dostojewskij. Hm. Tja. Mir scheint, ich erinnere mich vage: Das Ganze spielt, glaube ich, im 19. Jahrhundert, und im zweiten Band erschießt sich jemand mit einer Pistole. Mehr wüßte ich darüber nicht zu sagen.

Ich sinke auf meinen Schreibtischstuhl nieder. Es ist eine Schande, es ist ein Skandal. Seit dreißig Jahren kann ich lesen, habe, wenn nicht viel, so doch einiges gelesen, und alles, was mir davon bleibt, ist die sehr ungefähre Erinnerung, daß im zweiten Band eines tausend Seiten starken Romans sich irgend jemand mit einer Pistole erschießt. Dreißig Jahre umsonst gelesen! Tausende von Stunden meiner Kindheit, meiner Jugend- und Mannesjahre lesend zugebracht und nichts davon zurückbehalten als ein großes Vergessen. Und nicht, daß dieses Übel nachließe, im Gegenteil, es verschlimmert sich. Wenn ich heute ein Buch lese, vergesse ich den Anfang, ehe ich zum Schluß gekommen bin. Manchmal reicht meine Gedächtniskraft nicht einmal mehr hin, die Lektüre einer Seite festzuhalten. Und so hangle ich mich von Absatz zu Absatz, von einem Satz zum nächsten, und bald wird es soweit sein, daß ich nur noch einzelne Wörter mit Bewußtsein erfassen kann, die aus der Dunkelheit eines immer unbekannten Textes herbeiströmen, für den Moment des Gelesenwerdens wie Sternschnuppen aufstrahlen, um alsbald wieder im dunklen Lethestrom vollständigen Vergessens zu versinken. Bei literarischen Diskussionen kann ich schon lange nicht mehr den Mund aufmachen, ohne mich gräßlich zu blamieren, indem ich Mörike mit Hofmannsthal verwechsle, Rilke mit Hölderlin, Beckett mit Joyce, Italo Calvino mit Italo Svevo, Baudelaire mit Chopin, George Sand mit Madame de Staël usw. Wenn ich ein Zitat suche, das mir undeutlich vorschwebt, verbringe ich Tage mit Nachschlagen, weil ich den Autor

vergessen habe und weil ich mich
während des Nachschlagens in unbekannten Texten wildfremder Autoren
verliere, bis ich schließlich vergessen
habe, was ich ursprünglich suchte. Wie
könnte ich mir bei einer solch chaoti-
schen Geistesverfassung erlauben, die
Frage zu beantworten, welches einzelne
Buch mein Leben verändert hätte? Keines? Alle? Irgendwelche? – Ich weiß es
nicht.

Aber vielleicht – so denke ich, um
mich zu trösten –, vielleicht ist es beim
Lesen (wie im Leben) mit den Wei-
chenstellungen und abrupten Änderun-
gen gar nicht so weit her. Vielleicht ist
Lesen eher ein imprägnativer Akt, bei
dem das Bewußtsein zwar gründlichst
durchsogen wird, aber auf so unmerk-
lich-osmotische Weise, daß es des Pro-

zesses nicht gewahr wird. Der an Amnesie in litteris leidende Leser änderte sich also sehr wohl durch Lektüre, merkte es aber nicht, weil sich beim Lesen auch jene kritischen Instanzen seines Hirns mit veränderten, die ihm sagen könnten, *daß* er sich ändert. Und für jemanden, der selber schreibt, wäre die Krankheit womöglich sogar ein Segen, ja beinahe eine notwendige Bedingung, bewahrte sie ihn doch vor der lähmenden Ehrfurcht, die jedes große literarische Werk einflößt, und verschaffte sie ihm doch ein völlig unkompliziertes Verhältnis zum Plagiat, ohne das nichts Originales entstehen kann.

Ich weiß, das ist ein aus der Not geborener, ein unwürdiger und fauler Trost, und ich versuche, mich seiner zu entschlagen: Du darfst dich nicht in diese fürchterliche Amnesie ergeben, denke ich, du mußt dich mit aller Macht gegen die Strömung des Letheflusses stemmen, darfst nicht mehr in einem Text Hals über Kopf versinken, sondern mußt mit klarem, kritischem Bewußtsein darüberstehen, mußt exzerpieren, memorieren, mußt Gedächtnistraining treiben – mit einem Wort: Du mußt – und hier zitiere ich aus einem berühmten Gedicht, dessen Autor und Titel mir im Augenblick entfallen sind, dessen letzte Zeile aber als ein ständiger moralischer Imperativ ganz unauslöschlich in mein Gedächtnis eingegraben steht: »Du mußt«, so heißt es dort, »du mußt… du mußt…«

Zu dumm! Jetzt habe ich den genauen Wortlaut vergessen. Aber das macht nichts, denn der Sinn ist mir noch durchaus präsent. Es war so irgend etwas wie: »Du mußt dein Leben ändern!«

Nachweis der Erstdrucke

›Der Zwang zur Tiefe‹, in: *Das Buch der Niedertracht*, Verlag Klaus G. Renner, München 1986;

›Ein Kampf‹, in: *Tintenfaß*, Das Magazin für den überforderten Intellektuellen, Nr. 12, Diogenes Verlag, Zürich 1985;

›Das Vermächtnis des Maître Mussard‹, in: *Neue Deutsche Hefte*, Nr. 149, Berlin 1976;

›Amnesie in litteris‹, in: *L'80*, Zeitschrift für Literatur und Politik, Heft 37, Köln 1986.

PATRICK SÜSKIND wurde 1949 in Ambach am Starnberger See geboren. 1984 erschien sein Ein-Personen-Stück *Der Kontrabaß*, 1985 sein Roman *Das Parfum*, 1987 die Erzählung *Die Taube* und 1991 *Die Geschichte von Herrn Sommer*, mit Illustrationen von Jean-Jacques Sempé.

Patrick Süskind
im Diogenes Verlag

Der Kontrabaß

»Dem Autor gelingt eine krampflösende Drei-Spezialitäten-Mischung: von Thomas Bernhard das Insistierende; von Karl Valentin die aus Innen hervorbrechende Slapstickkomik; von Kroetz die detaillierte Faktenfreude und eine Genauigkeit im Sozialen.« *Münchner Merkur*

»Was noch kein Komponist komponiert hat, das schrieb jetzt ein Schriftsteller, nämlich ein abendfüllendes Werk für einen Kontrabaß-Spieler.« *Dieter Schnabel*

Seit Jahren das meistgespielte Stück auf den deutschsprachigen Bühnen!

Das Parfum
Die Geschichte eines Mörders

»Ein Monster betritt die deutsche Literatur, wie es seit Blechtrommler Oskar Matzerath

keines mehr gegeben hat: Jean-Baptiste Grenouille. Ein Literaturereignis.«
Stern, Hamburg

»Wir müssen uns eingestehen, die Phantasie, den Sprachwitz, den nicht anders als ungeheuerlich zu nennenden erzählerischen Elan Süskinds weit unterschätzt zu haben: so überraschend geht es zu in seinem Buch, so märchenhaft mitunter und zugleich so fürchterlich angsteinflößend.«
Frankfurter Allgemeine Zeitung

»Anders als alles bisher Gelesene. Ein Phänomen, das einzigartig in der zeitgenössischen Literatur bleiben wird.«
Le Figaro, Paris

»Eine der aufregendsten Entdeckungen der letzten Jahre. Fesselnd. Ein Meisterwerk.«
San Francisco Chronicle

Die Taube

In fünf Monaten wird der Wachmann einer Pariser Bank das Eigentum an seiner kleinen Mansarde endgültig erworben haben, wird ein weiterer Markstein seines Lebensplanes gesetzt sein. Doch dieser fatalistische Ablauf wird an einem heißen Freitagmorgen im August 1984 jäh vom Erscheinen einer Taube in Frage gestellt.

»Ein rares Meisterstück zeitgenössischer Prosa, eine dicht gesponnene, psychologisch raffiniert umgesetzte Erzählung, die an die frühen Stücke von Patricia Highsmith erinnert, in ihrer Kunstfertigkeit aber an die Novellistik großer europäischer Erzähltradition anknüpft.«
Rheinischer Merkur, Bonn

»Nicht nur riecht, schmeckt man, sieht und hört man, was Süskind beschreibt; er ist ein Künstler, auch wenn es darum geht, verschwundenes, verarmtes Leben in großer innerer Dramatik darzustellen. Eine Meistererzählung.«
Tages-Anzeiger, Zürich

»Kaum Action hat die Geschichte, aber sie kommt wie ein Orkan über einen.«
Expreß, Köln

Die Geschichte von
Herrn Sommer
Mit zahlreichen Bildern
von Sempé

Herr Sommer läuft stumm, im Tempo eines
Gehetzten, mit seinem leeren Rucksack und
dem langen, merkwürdigen Spazierstock
von Dorf zu Dorf, geistert durch die Landschaft und durch die Tag- und Alpträume
eines kleinen Jungen…
Erst als der kleine Junge schon nicht mehr
auf Bäume klettert, entschwindet der ge-
heimnisvolle Herr Sommer.

»Eine klassische Novelle.«
Der Spiegel, Hamburg

»Ein poetisches, filigranes Märchen aus der
Kindheit, voll bittersüßer Nostalgie.«
SonntagsZeitung, Zürich

»Die typische Süskind-Mischung aus teils
poetisch Zartem, teils Gewitztem.«
Joachim Kaiser/Süddeutsche Zeitung,
München

Zusammen mit Helmut Dietl:

*Rossini oder die mörderische Frage,
wer mit wem schlief*

Vollständiges Drehbuch mit zahlreichen Fotos aus dem
Film, mit einem Essay von Patrick Süskind sowie einem
Gespräch zwischen Hellmuth Karasek und Helmut Dietl

Die Gäste des italienischen Restaurants
›Rossini‹ haben bei aller Verschiedenheit
eines gemeinsam: Sie sind Singles, die das
Lokal zu ihrem zweiten Zuhause gemacht
haben. Alle sind auf wundersame Weise mit-
einander verbunden: hoffnungslose Liebe,
Haß, Eifersucht und alles überdauernde
Männerfreundschaften. Die tragikomischen
Verwicklungen werden durch das Auftreten
einer jungen Schauspielerin mit dem mär-
chenhaften Namen Schneewittchen noch
turbulenter und kulminieren in Niederlagen
und Triumphen der Protagonisten.

Deutscher Drehbuchpreis 1996 für Helmut
Dietl und Patrick Süskind, *Ernst-Lubitsch-
Preis 1997* und *Bayerischer Filmpreis 1997
für Regie* an Helmut Dietl.

Joseph von Eichendorff
Nachwort von Hermann Hesse

William Faulkner
Nachwort von Elisabeth Schnack

F. Scott Fitzgerald
Nachwort von Elisabeth Schnack

Nikolai Gogol
Vorwort von Sigismund von Radecki

Jeremias Gotthelf
Mit einem Essay von Gottfried Keller

Dashiell Hammett

O. Henry
Nachwort von Heinrich Böll

Hermann Hesse
Nachwort von Volker Michels

Patricia Highsmith

E.T.A. Hoffmann
Nachwort von Stefan Zweig

Washington Irving

Franz Kafka
Mit einem Essay von Walter Muschg sowie einer
Erinnerung an Franz Kafka von Kurt Wolff

Kleine Diogenes Taschenbücher